町田・相模原
カフェ日和
すてきなお店案内

ジェイアクト　著

Mates-Publishing

小田急相模原・東林間

橋本

相模原駅

【特集】心とカラダにご褒美をこだわり素材のカフェごはん

矢部・淵野辺・古淵

【特集】とっておきの味・空間を楽しむボリューム満点！至極のダイナー

※本書は2015年発行の『町田・相模原・厚木　すてきなカフェさんぽ』の改訂版です。

CONTENTS

boulangerie chiro P.26
SunnyBoony P.28
猿Cafe 町田マルイ店 P.50
LATTE GRAPHIC P.10
The CAFE P.14
ZERO ONE CAFE P.18
SEPIA CAFE P.20
44APARTMENT CAFE P.22
JAMIJAMI BURGER P.124
ふくや珈琲店 P.36
HUTTE P.34
和カフェyusoshi町田店 P.12
うしゃぎさん P.24
老舗 ひじかた園 P.16
ふくろうの森 P.48
Le Coeur P.92
ZEBRA P.82
サンクス
町田税務署入口
あけぼの病院
町田市役所
小田急小田原線
町田街道
東横イン
ローソン
りそな銀行
ファミリーマート
町田駅
南口
みずほ銀行
ローソン
6丁目
KFC
モディ
原町田中央通り
マルイ
ツインズ
109
JR横浜線
JR町田駅前
ルミネ
JORNA
松屋
ドン・キホーテ
4丁目
南口
町田駅
モスバーガー
マクドナルド
福祉会館前
5丁目
原町田わかば公園
原町田5
浄運寺前
尾崎医院
ファミリーマート
原町田
ローソン
玉川学園
玉川学園前
出口1
玉川学園購買部
玉川学園前駅
三和
玉川学園
セブン
2丁目
小田急小田原線
三ケ木
津久井高
津久井湖ゴルフ倶楽部
相模原西メディカルセンター急病診療所
大沢
西メディカルセンター
津久井湖
津久井警察署
日赤前
上溝バイパス
田名工業団地入口
上溝バイパス
田名四ツ谷
田名バスターミナル
セブンイレブン
上田名
田名中

ベーカリー HIMUKA P.64
相模大野
4丁目
DivingShop&Café GillMan P.60
ファミリーマート
相模女子大前
セブン
ロビーシティ前
モアーズ
北口
51
相模大野駅
アドアーズ
静岡銀行
南口
naruco cafe P.56
みずほ銀行
郵便局
高北歯科診療所
6丁目
小田急小田原線
小田急江ノ島線
相模大野
慈誠会病院
8丁目
cafetsumuri P.66
KAFE 六月園 P.62

ANGIE CAFE P.54
bio ojiyan cafe 相模大野店 P.58
モコのキッチン P.98
51
黒澤産婦人科医院
二宮神社
相模台郵便局
小田急相模原駅
ファミリーマート
北口
ミオ医院
南口
イトーヨーカドー
ブランジェリー ヒロ P.76
4丁目
セブンイレブン
ビッグ・エー
カラオケドレミ
ファミリーマート
コジマ×ビックカメラ
51
菅谷歯科医院
小田急小田原線
座間郵便局
ファミリーマート
5丁目
雑貨と喫茶 福綴 P.38
相武台団地入口
ケーヨーデイツー
座間相模が丘郵便局
50
相模が丘小
佐藤内科
相模が丘交番前
相模野小

町谷原
カフェ 舞風花 P.46
町田モダンゴルフクラブ
141
ふよう病院
6889cafe P.96
町田街道
1丁目
ローソン
141
16
南町田駅
北口
東急田園都市線
南口
鶴間公園
グランベリーモール
町田市辻
南町田駅西

ロールケーキの店Hola P.74
CHIEZO CAFE P.72
東口
東芝林間病院
オルディネカフェ P.68
東林間駅
西口
東林間神社
5丁目
相模原東林間郵便局
GS
林間こどもクリニック
東林小学校入口
小田急江ノ島線
林間のぞみ幼稚園
cafe+atelier coo P.70

ZOU COFFEE+SELECT P.40
消防麻溝分署入口
双葉2
桜台小前
神奈川障害者職業能力開発校
桜台小
相模台小入口
相模台小
小田急相模原駅↓

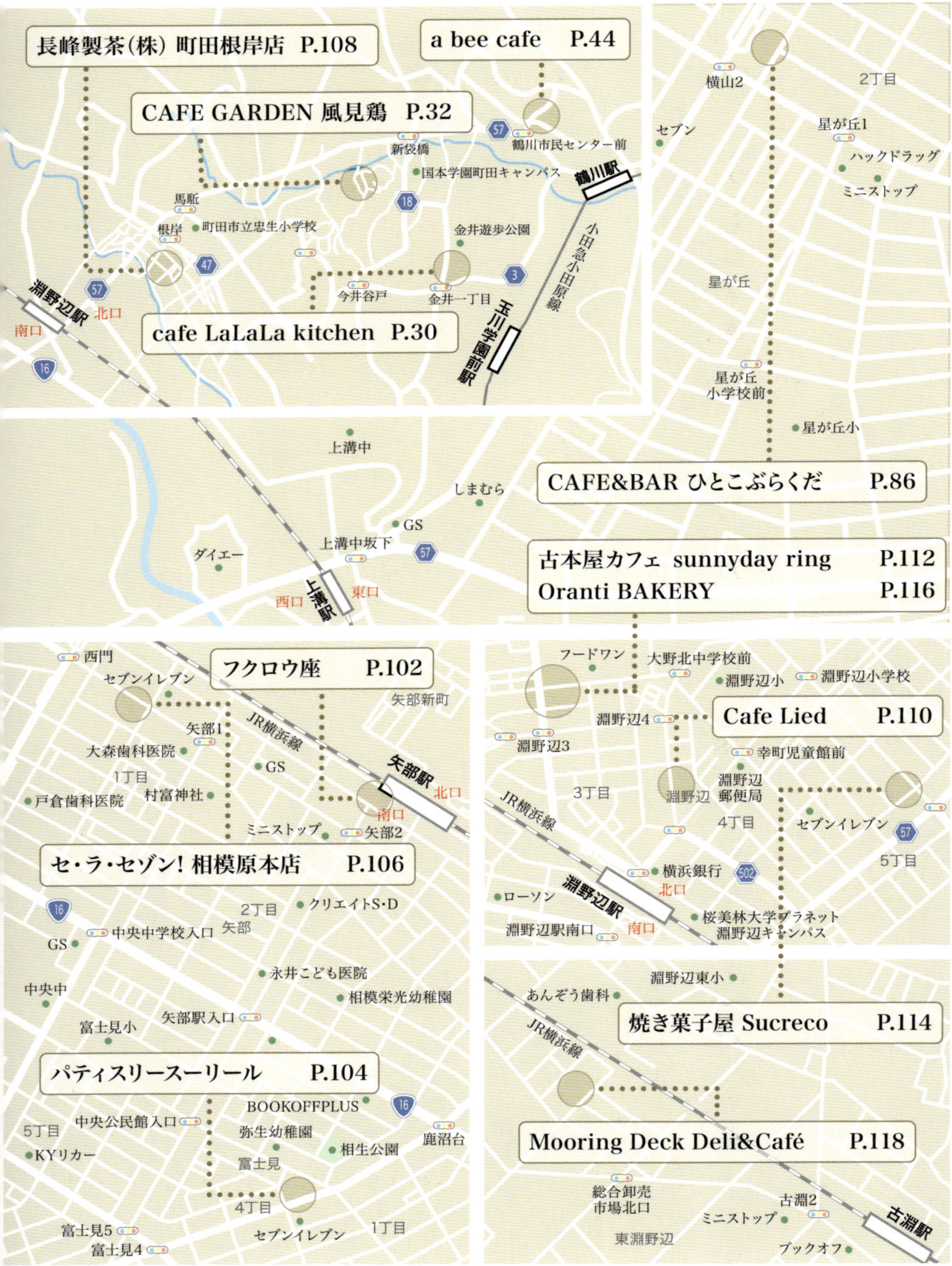
長峰製茶(株) 町田根岸店 P.108
a bee cafe P.44
CAFE GARDEN 風見鶏 P.32
cafe LaLaLa kitchen P.30
鶴川市民センター前
新袋橋
国本学園町田キャンパス
鶴川駅
馬駈
根岸
町田市立忠生小学校
金井遊歩公園
小田急小田原線
今井谷戸
金井一丁目
玉川学園前駅
淵野辺駅
北口
南口
横山2
2丁目
セブン
星が丘1
ハックドラッグ
ミニストップ
星が丘
星が丘
小学校前
星が丘小
上溝中
しまむら
GS
上溝中坂下
ダイエー
上溝駅
西口
東口
CAFE&BAR ひとこぶらくだ P.86
古本屋カフェ sunnyday ring P.112
Oranti BAKERY P.116
西門
セブンイレブン
フクロウ座 P.102
矢部新町
矢部1
JR横浜線
大森歯科医院
GS
1丁目
戸倉歯科医院
村富神社
矢部駅
北口
南口
ミニストップ
矢部2
セ・ラ・セゾン! 相模原本店 P.106
2丁目
クリエイトS・D
矢部
中央中学校入口
GS
永井こども医院
中央中
相模栄光幼稚園
富士見小
矢部駅入口
パティスリースーリール P.104
BOOKOFFPLUS
中央公民館入口
5丁目
弥生幼稚園
相生公園
鹿沼台
KYリカー
富士見
4丁目
セブンイレブン
1丁目
富士見5
富士見4
フードワン
大野北中学校前
淵野辺小
淵野辺小学校
Cafe Lied P.110
淵野辺4
淵野辺3
幸町児童館前
3丁目
淵野辺
淵野辺
郵便局
4丁目
セブンイレブン
JR横浜線
5丁目
横浜銀行
淵野辺駅
北口
ローソン
桜美林大学プラネット
淵野辺キャンパス
淵野辺駅南口
南口
淵野辺東小
あんぞう歯科
JR横浜線
焼き菓子屋 Sucreco P.114
Mooring Deck Deli&Café P.118
総合卸売
市場北口
古淵2
ミニストップ
古淵駅
東淵野辺
ブックオフ

旭小
505
esCafe/Dining イオン橋本店 P.80
6丁目
菊池歯科医院
橋本幼稚園
カフェ こたつ P.100
メモリアルホール
橋本東町
橋本駅
入口第二
やきとり福徳
JR横浜線
イオン
505
ブックオフ
橋本駅
橋本2
ローソン
南口
ミウイ
北口
橋本駅
京王相模原線
相原高
エバーグリーンカフェ P.78

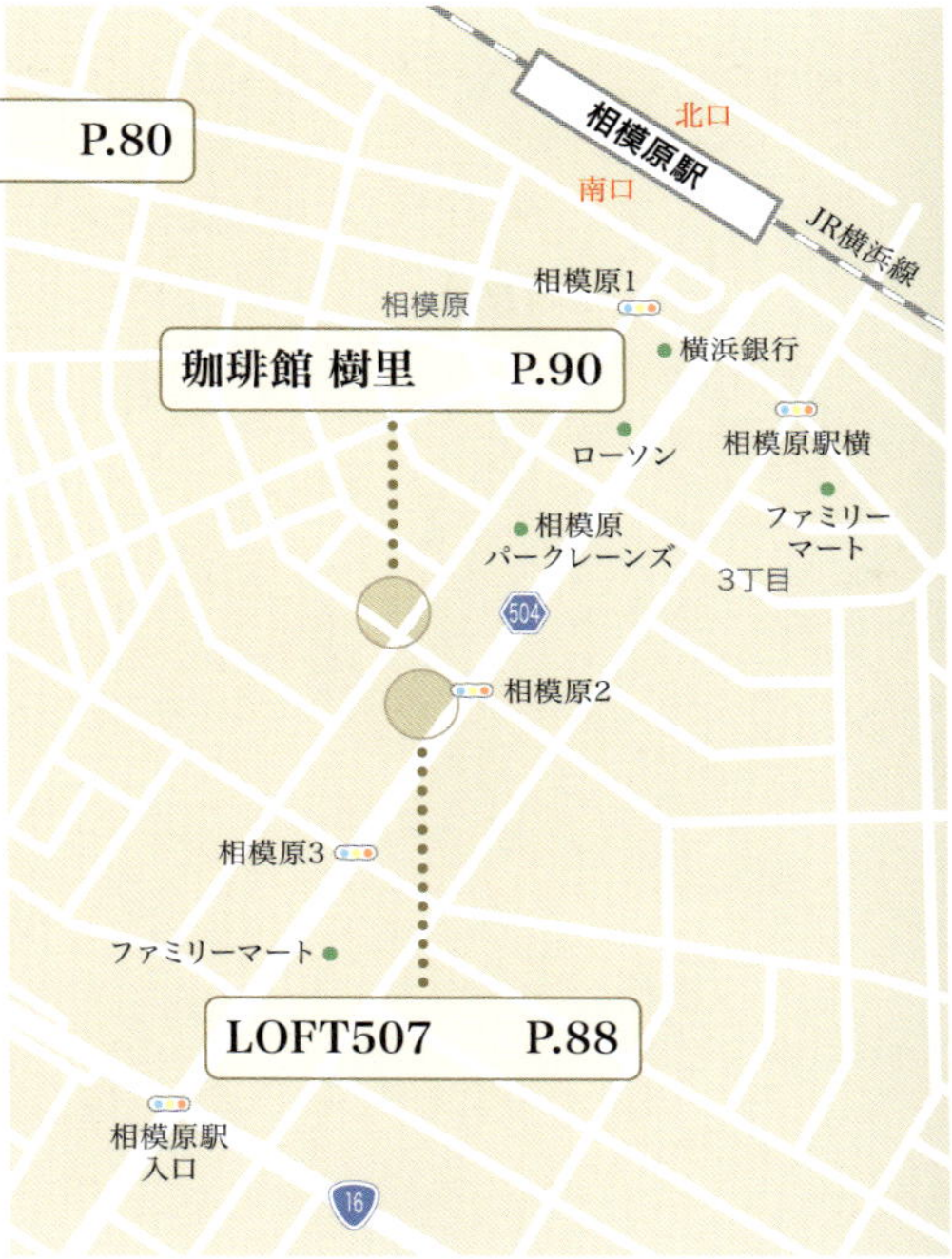
相模原駅
北口
南口
JR横浜線
相模原1
相模原
横浜銀行
珈琲館 樹里 P.90
ローソン
相模原駅横
相模原
パークレーンズ
ファミリー
マート
3丁目
504
相模原2
相模原3
ファミリーマート
LOFT507 P.88
相模原駅
入口
16

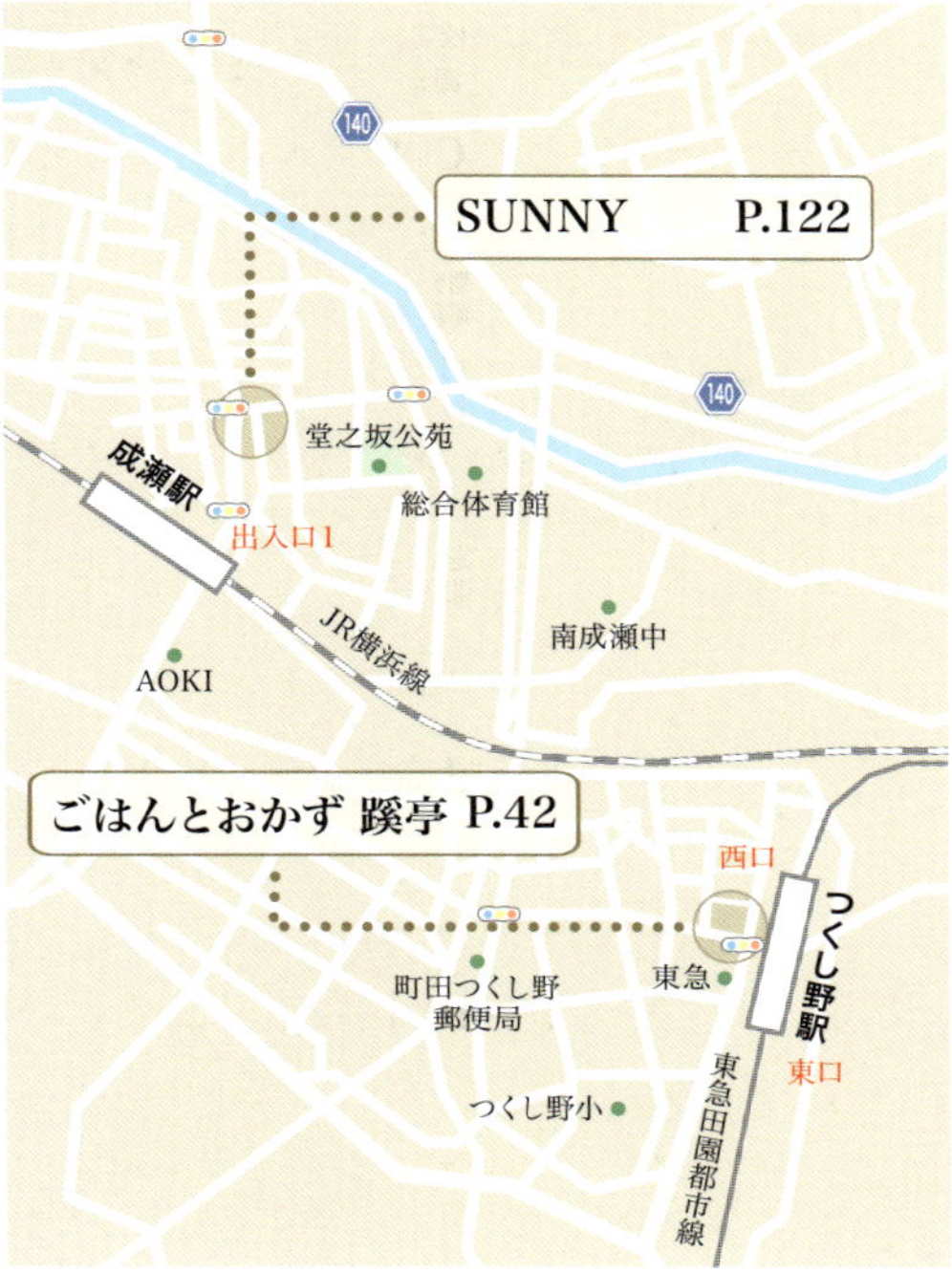
140
SUNNY P.122
140
堂之坂公苑
成瀬駅
総合体育館
出入口1
南成瀬中
JR横浜線
AOKI
ごはんとおかず 蹊亭 P.42
西口
つくし野駅
東急
町田つくし野
郵便局
東口
東急田園都市線
つくし野小

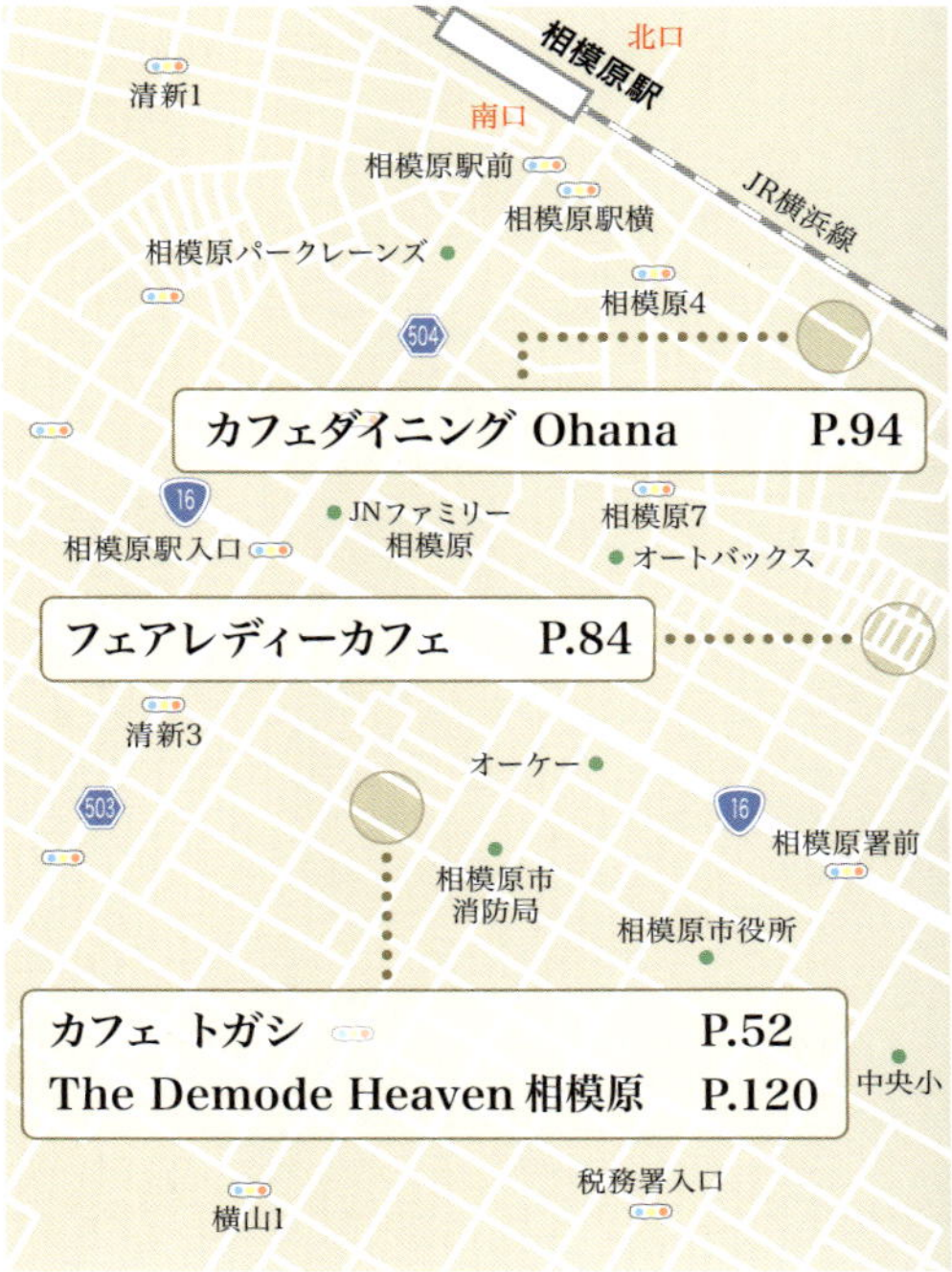
相模原駅
北口
清新1
南口
相模原駅前
相模原駅横
JR横浜線
相模原パークレーンズ
相模原4
504
カフェダイニング Ohana P.94
16
JNファミリー
相模原
相模原7
相模原駅入口
オートバックス
フェアレディーカフェ P.84
清新3
オーケー
503
16
相模原署前
相模原市
消防局
相模原市役所
カフェ トガシ P.52
The Demode Heaven 相模原 P.120
中央小
税務署入口
横山1

ランチメニューをはじめとするおすすめメニューです。ランチメニューがないお店はグランドメニューからご紹介しています。

お店全体の雰囲気がわかりやすいように撮影しています。シーンに合わせたお店選びの参考にして下さい。

店内の特徴がある部分を撮影しています。

最寄りの駅です。

矢部駅

フクロウ座

ふくろうざ

店主のお気に入りを集めたこだわりのインテリアが揃う、おしゃれで落ち着く空間

どこかホッと癒される、居心地のいいくつろぎ空間

相模原の千代田から心機一転、矢部駅近くに移転。2階建てになっており、1階はカウンター席、2階は広々としたテーブル席。居心地がよくくつろいで過ごすことのできる空間となっています。手書きのメニューや、ところどころに飾られたお花や小物にお店の温かみを感じる店内。

料理はもちろん、ドレッシングやデザートなども手作りにこだわっています。お酒も豊富で、お酒を飲みながらカウンター席で店員さんと会話をはずませるお客さんも。1階の奥には作家さんの作った雑貨が並ぶ「モノツクリ店」もあります。

102

カウンター席はお一人様のお客様に好評です。

おすすめメニュー

手作りデザート　432円~
本日の珈琲　540円
手作りチーズ豆腐　648円
定番グリーンサラダ　540円

Bランチ　茄子と小海老のトマトクリームパスタ

1,026円
(平日のランチタイムのみ)
サラダと本日のスープつき
ランチはこのメニューを含め、A~Eの5種類ご用意！

F.O.Bフクロウ座オリジナルブレンド珈琲とレアチーズケーキ

486円/432円
豆からこだわったこだわりのコーヒーと、コーヒーによく合うチーズケーキ

モノツクリ店

作家さん手作りの雑貨などが並ぶ、小さな雑貨店。お店の奥でひっそりと営んでいます。

WELCOME MESSAGE

店長のイマダ ミホさん

日々の中でほっこりしたいなと思ったら、フクロウ座に来てください。当店にはやわらかく穏やかな時間が流れています。木漏れ日の中で木の幹に体を預けて昼寝をするような、そんな感じ。くつろぎの時間をお過ごしください。

Information

矢部駅
キッチンオリジン 矢部店
フードワン 矢部店
フクロウ座
矢部三丁目
セブンイレブン 相模原矢部店

営業時間	11:00~22:00(L.O.21:00) 金土のみ~24:00(L.O.23:00) ランチ11:00~14:30(L.O.)
休業日	木曜日
座席案内	カウンター8席・テーブル8席
禁煙席	全席禁煙
所在地	相模原市中央区矢部3-1-8
電話	042-711-7377
交通	JR矢部駅より徒歩3分
駐車場	なし(周辺にコインパーキングあり)

103

お店からのメッセージです。

このお店で提供されているお食事や、代表的なスウィーツ等をご紹介しています。季節によって使用する食材が変わったり、メニューが変更される場合もあるのでご了承下さい。

このお店の基本的な情報です。年末年始の休業日や臨時休業は含まれておりません。交通の部分は地図内に表記された駅より利用者の多い駅からのご案内になっているお店もあります。

この本の使い方

特集のロゴです。翌ページ以降はロゴのみ表記しています。

このページは特集ページです

特集のタイトルです。
お店の特徴を表記しています。

＊この情報は 2017 年 10 月現在のものです。営業時間や休業日、価格などが変更になる場合がありますので、事前にご確認下さい。
＊料理の内容は撮影時のものです。季節やその日の仕入れによって内容が異なりますのでご了承下さい。
＊時間によって、サービス料が加算されるお店もありますので、ご注文の際にご確認下さい。

町田駅

LATTE GRAPHIC

らてぐらふぃっく

広々とし、落ち着いた雰囲気で、贅沢なひとときを味わえる空間。

オーストラリアのメルボルンをコンセプトにしたカフェ

町田駅から歩いてすぐのところにある駅チカカフェ。かわいらしいラテアートやふわふわパンケーキなど、味だけでなく目で見ても楽しいメニューも。オセアニアで最も有名な老舗ロースターの豆を使用した本場のラテアートはおいしいと評判！

朝8時30分から営業しており、オーストラリアの朝食の定番「ビッグブレッキー」もおすすめ。1日の始まりを素敵に演出してくれます。夜は23時半まで営業。朝から夜まで、様々なシーンで利用できるお店となっております。

やさしい木のぬくもりを感じさせてくれる空間です。

おすすめメニュー

コーヒー　280円～

トリュフ香るバルサミコマッシュルームピザ
1080円

チキンパルメザン（パン付き）
1280円

パンケーキ

880円～
たっぷりフルーツが乗ったパンケーキ。お好みのフルーツで♪
バナナウォールナッツ・シトラスフルーツ・ベリーズ・季節のパンケーキの4種類

スマッシュアボカド

680円
アボカドを丸っと使い、ヘルシーでいて栄養価の高い女性のお客様に人気のメニュー。

ディナーステーキセット

2,180円
チャックフラップステーキ・ライ麦パン・ドリンクのセット
ジューシーなお肉が食欲をそそる一品。ちょっと贅沢な夕ご飯にどうぞ。

Information

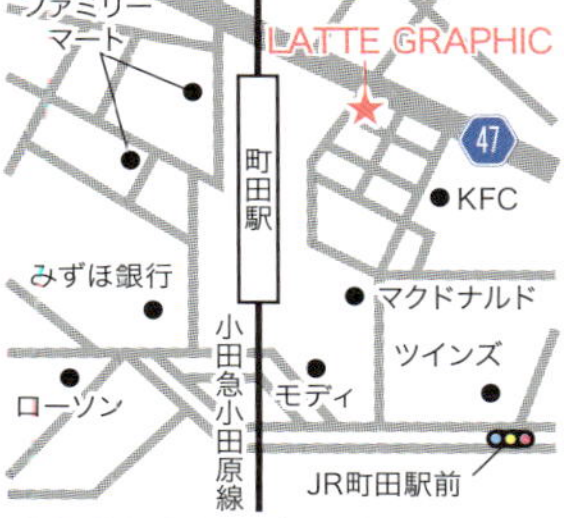

営業時間	8:30～23:30(L.O.23:00)
休業日	なし
座席案内	カウンター16席 テーブル60席
禁煙席	全席禁煙
所在地	町田市原町田6-11-11
電話	042-728-8015
交通	小田急町田駅南口より徒歩2分
駐車場	なし

お店より

一杯のCOFFEEで人々の「時」を温かく彩りたい。一軒のCAFEで人々の「1日」を華やかに彩りたい。CAFE CULTUREで人々の「人生」を豊かに彩りたい。そんな想いでオープンしたお店です。

町田駅

和カフェ yusoshi 町田店

わかふぇ ゆそーし まちだてん

和をあしらった、落ち着いた空間。ソファー席ではゆったりくつろげます。

体に優しく、大満足の和食ごはん

JR町田駅の改札のすぐ横、ルミネ町田の中にあるカフェ。店名のyusoshiとは、愉しいことを想像し、それらを表現し、発信する〝愉・想・使〟の心というもの。店内は家具や内装にこだわり、「大切な人を家に招いておもてなし」するような和の空間。

お食事メニューは好きな小鉢を選べ、黒米入り玄米ともち米が入ったご飯、豚汁はお替わり自由。独自で厳選したコーヒーや、高級茶葉を使った紅茶もおすすめ。体に気を使いつつも満足できるメニューとなっています。

窓側は眺めのいい席！

おすすめメニュー

アボカドとマグロの明太マヨ丼
ランチ1,100円　ディナー(小鉢付)1,480円

若鶏のスパイシー黒胡しょう揚げ
ランチ1,000円　ディナー(小鉢付)1,380円

とろとろ卵のオムライス(ディナー限定)
1,580円

全ての食事メニューに+300円でハーフサイズのスイーツがついてくる「小さな甘味セット」が付けられます。

※このお店の価格は全て税抜き表示です

デリランチ

1,180円
お好きな小鉢を3つ選べます。小鉢は季節限定のものも。ご飯、豚汁はおかわり自由！+150円で小鉢の追加も可能です。

黒蜜ときなこのパフェ

800円
アイスが3つ乗った、ボリューム満点パフェ。モチモチ食感の生麩がアクセントになっています。

珈琲とアールグレイティー

500円/550円
自社で厳選した珈琲豆をブレンドではなく、豆の味をそのまま味わえる「シングルオリジン」の珈琲と、スリランカの高級茶葉「ムレスナティー」を使った香り高い紅茶。

WELCOME MESSAGE

お店より

お店の自慢は、温かくてオシャレなお家の様な店内と体に優しいゴハンです。特に自慢のデリはランチもディナーも「食べたいものを少しずつ、たくさん」の気持ちを満たしてくれる一皿です。拘りのコーヒーと紅茶で心温まる一時をどうぞ。

Information

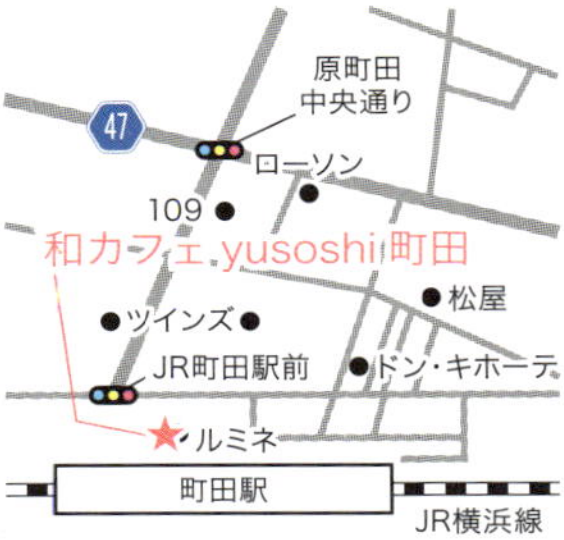

営業時間	11:00～22:00(L.O.21:30) ランチ～16:00(L.O.)
休業日	なし
座席案内	カウンター12席・テーブル50席
禁煙席	全席禁煙
所在地	町田市原町田6-1-11 ルミネ町田店 9F
電話	042-710-6333
交通	JR町田駅より徒歩1分
駐車場	提携駐車場あり(ルミネ町田で2000円～4000円利用で1時間、4000円以上利用で2時間サービス)

町田駅

The CAFE

ざ かふぇ

落ち着いた雰囲気の中で、世界各地のコーヒー農場から選び抜かれた最高品質のスペシャルティー COFFEE が楽しめます。

喫茶店の進化版CAFE！本格ドリップコーヒーのお店

古き良き時代の「喫茶店」と、海外のお洒落な文化を融合した、新しさの中にも、どこか懐かしさを感じられるカフェ。珈琲はオセアニアの老舗ロースター「ALL PRESS ESPRESS」の豆を使用し、ドリップ・エスプレッソ・水出しの3種類の抽出方法にこだわって提供してくれます。

各種新聞や雑誌が揃っているので、珈琲の香りに包まれた店内で、ゆったり、のんびり過ごせます。Wi-Fiやコンセントも完備されているので、仕事の合間のひと休みにも便利なお店。一人でも気軽に立ち寄れます。

最高品質のスペシャルティーCOFFEEを
ドリップ抽出方式で。

おすすめメニュー

ピザトースト　680円
ナポリタン　980円
コーヒー 300円～

海老名たまごのパンケーキ（プレーン）

860円
海老名から直送された新鮮たまごをたっぷり使用。20分かけて焼き上げます。

水出しアイスコーヒー

730円
8時間かけて抽出した水出しコーヒー。1日20杯限定です。

3日仕込みのビーフシチュー

1,680円～パンサラダ付～

3日かけてコトコト煮込んだ柔らかい牛肉とマッシュポテトを一緒に。当店のイチオシです。

スタッフ一同

半世紀以上続いた老舗の喫茶店の意思を継承して、喫茶店と海外テイストを融合したCAFEです。どの席もコンセントをご用意させていただいておりますので、こころゆくまでおくつろぎください。

Information

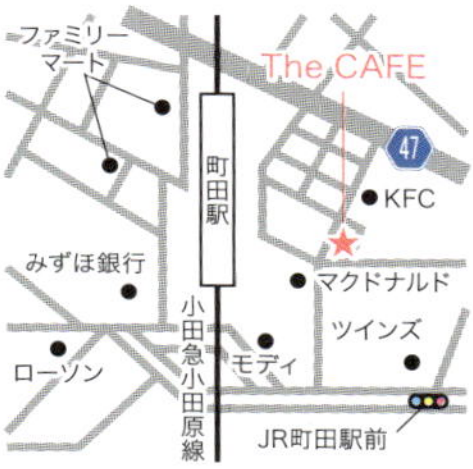

営業時間	8：30～23：00（L.O.22：30）モーニング8：30～10：30　ランチ10：30～17：00
休業日	なし
座席案内	カウンター12席 テーブル53席
禁煙席	約20席あり
所在地	町田市原町田6-10-17
電話	042-860-6446
交通	小田急小田原線 町田駅西口より徒歩1分、JR町田駅より徒歩3分
駐車場	なし

町田駅

老舗 ひじかた園

しにせ　ひじかたえん

木の温もり感あふれる心地よい空間で、お茶を楽しみながらゆったりとしたひとときをどうぞ。

世界各国から集まったお茶を、こだわりの淹れ方で味わう。

店内は木の温もりが感じられる居心地のいい空間。日本茶、中国茶、紅茶、ハーブティー、南米のマテ茶など、世界各国、150種類以上のお茶が楽しめるお店です。テーブルには電熱器が置いてあり、常に温かいお茶が楽しめます。

スタッフに声を掛けるとお茶の美味しい入れ方などをテーブルで教えてもらえるので、自宅でも美味しいお茶が楽しめるようになります。2カ月に1度ほど2階のティールームで音楽会（ジャズ、オカリナコンサート）なども開催されます。

1階ではさまざまなお茶を販売。

おすすめメニュー

ペパーミントグリーンティ700円
茶色の小瓶860円
マテ茶860円
町田の貴婦人860円

＊全て日替わりのお菓子付きです。

テレレマテ茶

860円
世界三大茶のひとつ。冷たいハーブ入りの氷水で本格的なボンビージャ（茶こし付ストロー）、マテ壺で飲むマテ茶です。他ではなかなか味わうことのできないお茶です。

中国茶各種

780円～

世界各国のお茶が楽しめるのはお茶の専門店ならでは。さまざまな色と豊かな香りが楽しめる、中国茶でくつろぎのひとときをどうぞ。きっとお気に入りの一杯が見つかります。日本茶とは違った味わいをぜひご賞味ください。

抹茶オレ

860円
京都宇治の小山園の抹茶を使用した美味しい抹茶オレ。お茶菓子と一緒にどうぞ。

オーナーの土方隆司さん

湯沸しポットでスタッフが各テーブルでお淹れします。お茶を飲むその一瞬、一瞬にある奥深いものを味わっていただけます。1階では150種類以上のお茶を販売しておりますので、自宅でもお楽しみ下さい。

Information

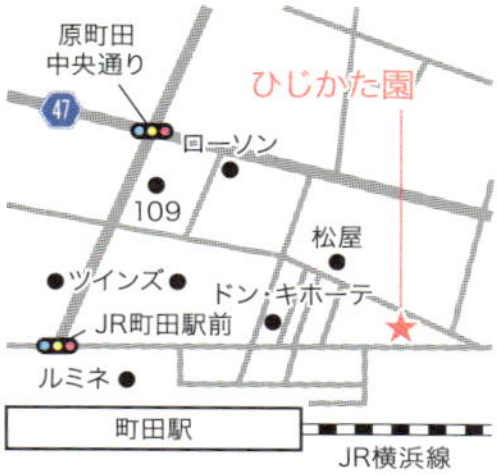

営業時間	11：00～19：00 （販売は10：00～）
休業日	水曜日
座席案内	カウンター9席・テーブル18席
禁煙席	全席禁煙
所在地	町田市原町田4-3-6
電話	042-722-3265
交通	JR町田駅北口より徒歩5分
駐車場	なし
HP	http://www.hijikataen.com/
Mail	info@hijikataen.com

町田駅

ZERO ONE CAFE

ぜろわんかふぇ

1階はテラス席をはじめとして、カウンター席やテーブル席、ロフト席などその日の気分でさまざまな使い方ができます。

女子会から特別な日まで、様々なシーンをおしゃれな空間で

ランチタイムはおいしいカフェごはんと自家製スイーツ、ディナータイムは自慢のお酒とバラエティー豊かなお料理が楽しめるカフェ。店内はインテリアにこだわり、「自由な空間」を演出。ソファー席も多く、アットホームな空間です。ハワイ好きの店長イチオシの「マカデミアナッツパンケーキ」は絶品！

メニューはiPadを使用しているので、オーダーもスムーズ。記念日や誕生日など、特別な日のサプライズにも対応してくれます。女子会にもおすすめ！

座り心地抜群！ゆったり過ごせるソファー席も。

おすすめメニュー

ガーリックシュリンプ　880円
マグロとアボカドのポキボウル　980円
マカダミアナッツパンケーキ　880円

※価格はすべて税別です

01モンスターシェイク

980円(税別)
あっさりと飲みやすいフレッシュバナナシェイクにスイーツを盛りだくさんにトッピングしました。
見た目もインパクト抜群の一杯。甘いものが好きな方にはたまらない贅沢メニューです！

チキンオーバーライスプレート

1080円(税別)
ターメリックが香るチキンをご飯に乗せ、チリソースやヨーグルトソースをかけた、NYの発祥の屋台めしを01アレンジしています。

サングリア

各680円(税別)
ライムとキウイのサングリア
桃とカシスのサングリア
ワインにフルーツを漬け込んだ自家製のサングリア。フルーツのいい香りが香る、オシャレなドリンクです。

スタッフより

昼はカフェ、夜はお酒も楽しめるおしゃれな空間です。最大60人までの貸し切りパーティーも可能なので、結婚式の二次会などにもご利用いただけます。お買い物途中におひとりでも気軽にどうぞ。

Information

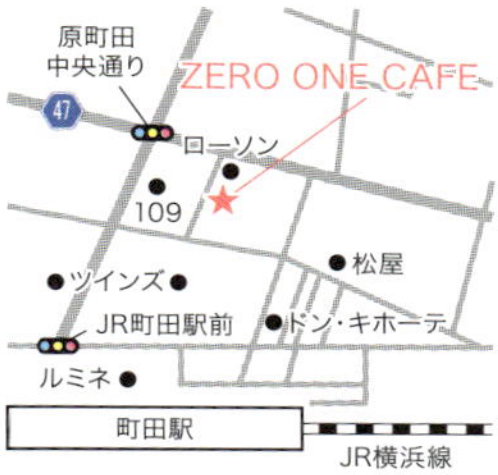

営業時間	11:00～24:00(L.O.23:30) ランチ11:00～17:00(L.O.)
休業日	なし
座席案内	テラス8席・カウンター6席・テーブル100席・個室1室あり(6人用)
禁煙席	全席禁煙
所在地	町田市原町田6-7-3
電話	042-709-7688
交通	JR町田駅より徒歩4分
駐車場	なし

町田駅

SEPIA CAFE

せぴあ かふぇ

広々とした店内。落ち着いた雰囲気で、少し贅沢な気持ちになる空間です。

仕事帰りの遅い時間でもほっとひと休みできるカフェ

40年以上続く老舗カフェ。リニューアルオープンし、おしゃれなデザイナーズカフェに生まれ変わりました。通りを眺めながらのんびり過ごせるおひとりさまのテーブルは、買い物途中のひと休みにも便利に利用できます。奥にはゆったり座れるソファー席も。

「生パスタ」をはじめ、野菜もたっぷりとれるランチメニュー、自慢の特製生クリームたっぷりの「季節のパフェ」など、スイーツもおすすめのお店。夜のコースメニューも充実しています。

奥にはゆったり過ごせるソファー席もあります。

おすすめメニュー

シフォンケーキ　580円
チョコラータ　700円
フレンチトースト　550円
タピオカミルクティー　580円

タコライス

950円
ドリンクセット　1,200円
ドリンク・ケーキセット　1,400円
ピリ辛のサルサソースに、ぱりぱりのタコスチップスが相性ばっちり！

バナナショコラ

580円
バナナとショコラの相性バッチリ！大きいグラスのたっぷりサイズで大満足な一杯。

本日ケーキセット

680円
写真はシフォンケーキ。
ふわふわなシフォンケーキにたっぷりとクリームをかけました。濃厚ソースがアクセント！

WELCOME MESSAGE

お店より

40年前からこの場所で「喫茶店」を営んでいます。現在の「SEPIACAFE」となってから早10年、これからも過ごしやすい空間を提供して行きたいと思います。奥にはソファー席もありますのでゆっくりお寛ぎ下さい。

Information

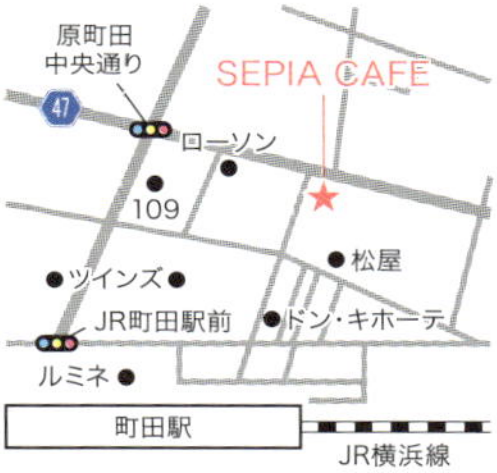

営業時間	11:00 ~23:00日祝は22:30まで
休業日	なし
座席案内	テーブル46席
禁煙席	11:00 ~15:00は全席禁煙
所在地	町田市原町田4-4-5 平野屋第3ビル 1F
電話	042-722-0474
交通	JR町田駅東口より徒歩3分
駐車場	なし

町田駅

44APARTMENT CAFE

だぶるふぉーあぱーとめんとかふぇ

２階フロアはソファー席やカウンター席など、さまざまなシーンで利用できます。
貸切は曜日や時間帯により応相談

ニューヨークスタイルのお洒落な空間で心に残るひとときを

ウッドデッキテラスのあるニューヨークスタイルのカフェ。誕生日や記念日にも利用できるプライベート空間はもちろん、ビアガーデンから結婚式２次会などのパーティーまで自由な発想で利用できるのが魅力です。

世界的にも認知度の高い老舗ロースターブランド「All PRESS ESPRESSO」の豆を使用し、専属のバリスタが一杯ずつ心を込めて入れてくれます。おすすめのメルトクリームフレンチトーストとともにどうぞ。夜はしっとりとした大人の雰囲気です。

ガーデンテラスは屋根&ストーブ設置で、
急な雨や寒い時期でも快適。

おすすめメニュー

エッグベネディクト 980円
季節野菜のサラダ&デリプレート
780円～
キヌアサラダ　1080円
NYスタイルステーキプレート
1680円

スイートラテ

480円
テストをクリアした確かなスキルを持ったバリスタが淹れる一杯。飲みやすくきめ細かなミルクが特徴。最高ランクのスペシャリティコーヒーを使用。

メルトクリームフレンチトースト

各種880円
ルバーブ・ブルーベリー・キャラメライズバナナからお選び頂けます。エディブルフラワーという食用のお花を添えて、見た目も華やかな一皿。

SOHOSTYLEコース

4,500円(税込) 料理9品+2時間フリードリンク(延長30分500円)。忘新年会・歓送迎会、ウェディングパーティなど、ご要望承ります。写真は一例です。

WELCOME MESSAGE

スタッフより

会社帰りのチョイ飲みや、お一人様も大歓迎。様々なシーンでご利用いただけます。店内は30~70名様まで、ガーデンテラスのみなら15~30名様まで貸切が可能です。お気軽にご相談下さい。

Information

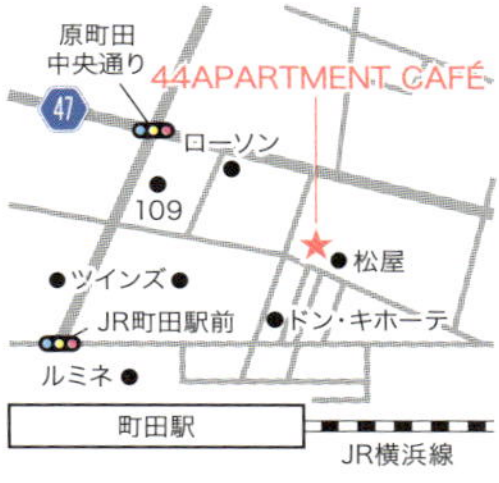

営業時間	11:00~23:30(L.O. 22:30)
休業日	なし
座席案内	テラス25席カウンター9席 テーブル32席
禁煙席	店内は全席禁煙
所在地	町田市原町田4-4-15
電話	042-851-8369
交通	小田急小田原線町田駅南口より徒歩5分、JR町田駅より徒歩3分
駐車場	なし

町田駅

うしゃぎさん

うしゃぎさん

小さな店内には、ロールケーキをはじめとしたおいしそうなお菓子が並びます。

素材の味を楽しむケーキ店

町田駅から少し歩いたところにあるケーキ店。たまごやクリームなどの素材にこだわり、バニラや香料、リキュールなどを控え、甘さ控えることで素材の味がダイレクトに味わえるお菓子を作っています。

人気の商品はロールケーキ。素材の味が存分に楽しめ、プレーンからチョコレートやフルーツを使った様々なバリエーションを取り揃えています。その場で食べられる出来たてクレープや、紅玉りんごをたっぷり使ったアップルパイ、デコレーションケーキなどもおすすめ!

ロールケーキは１本タイプとカットタイプが選べます

おすすめメニュー

生クリームロール
一本1,550円　1カット340円

紅玉りんごのアップルパイ
1カット390円　5号2,880円
6.5号3,920円

石窯たまごカステラ
一本1,000円　カット200円

たまごロール

1カット300円　1本1,350円
一番人気の王道のロールケーキ。スポンジでクリームを巻き込んだシンプルなロールケーキです。

デコレーションケーキ

(要予約)

お客様の要望を聞いて作ってくれます。誕生日などのイベント時にオススメ。3日前までの予約が必要です。

生クリーム カスタードショコラ

470円
高温でサッと焼いた生地にクリームとちょっとビターなショコラを包んだクレープ。注文してから焼き、その場で手渡ししています。

WELCOME MESSAGE

お店より

開店してから15年、相模大野の初代店舗から始まり、現在で3軒目。質のいい素材を使い、その味が楽しめるお菓子を作っています。是非一度ご賞味ください。

Information

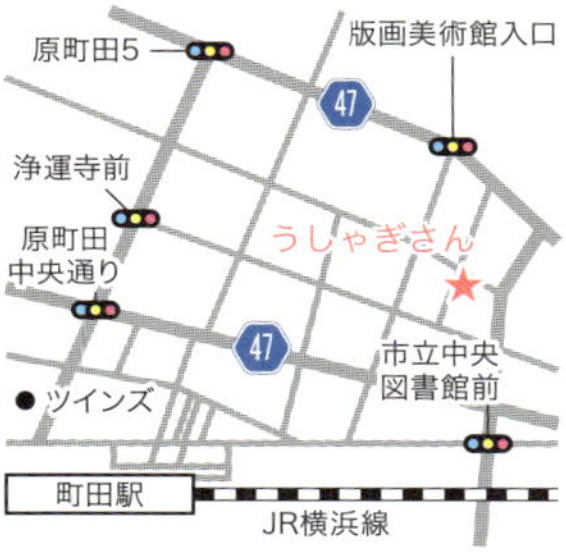

営業時間	11:30～18:00
休業日	火・水・木曜日
所在地	町田市原町田3-6-5
電話	042-728-4655
交通	小田急・JR町田駅より徒歩7分
駐車場	なし

町田駅

boulangerie chiro

ぶーらんじゅり　ちろ

基本を大切に丁寧に、がモットー。近所の方々が焼きたてのパンを求めて来店します。

ショーケースに並ぶ、安心でおいしいパンたち

町田駅から少し歩いた、静かな住宅街にある小さなパン屋さん。スイーツ系や惣菜パン、ハード系などバラエティ豊富で、ガラスケースのカウンターにはおいしそうなパンが並びます。丁寧に、安心安全にこだわって作っており、小さなお子様からお年寄りまで幅広い方に愛されています。

お好みのパンをカウンターの向こうの店員さんに注文するスタイル。ちょっとした世間話を楽しみながらパンを購入することができます。

近所の方々が焼き立てパンを求め集まります。

おすすめメニュー

クロワッサン　170円
パン・ド・ミ　290円
バタール　240円
バゲット　250円

クロワッサン

170円
バターを何層にも折り込んで作るクロワッサン。香り高い発酵バターを使用しています。

木の実のガレット

260円
アーモンドやくるみなど、木の実をふんだんに乗せました。

ポテトとソーセージのキッシュ

250円
さっくさくの生地にポテトとソーセージを入れて焼いた具だくさんのキッシュ

お店より

町田にある小さなパン屋、ブーランジュリ　チロです。基本を大切に丁寧にパンを作っています。ご予約・お取り置きも承っています。是非ご来店ください。

Information

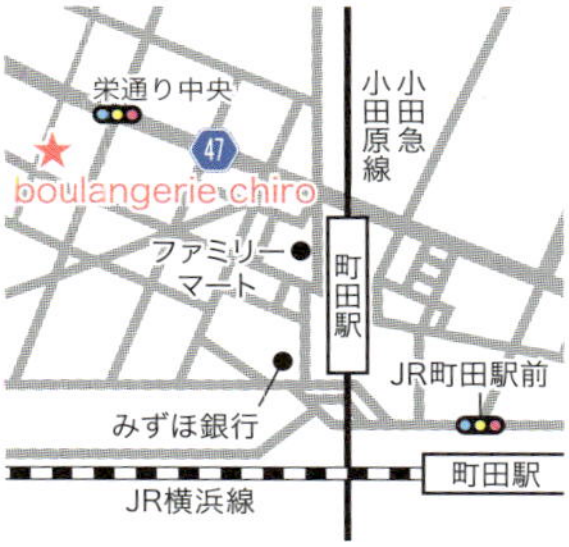

営業時間	8:00～18:30(売切れ次第終了)
休業日	毎週日曜日・第2、4、5水曜日
所在地	町田市森野2-31-5
電話	042-785-5474
交通	JR・小田急線町田駅より徒歩8分
駐車場	あり(1台)

玉川学園前駅

SunnyBoony

さにーぶーにー

店内は木の温もりあふれるナチュラルな空間。親子で楽しくお食事や女子会にもおすすめ！
貸し切りの予約も受け付けてくれます。

かわいいキャラクター、ブーニー君がお出迎え！

店内に入ると、かわいいブタのキャラクター〝ブーニー君〟があちらこちらで出迎えてくれるかわいらしいカフェ。ブーニーアイスなど、メニューにもブーニー君がお目見えし、味も見た目も楽しませてくれます。パンケーキなどのオリジナルメニューは米粉で生地を作っており、もちもち感がたまらない！

ランチやカフェはもちろん、仕事帰りに立ち寄ってビールやワインとおつまみでちょっとひと息。男性も一人で気軽に利用できます。

かわいいぶたさんはこんなところにも！
ブーニーアイス（ 300 円）

おすすめメニュー

日替わりランチ(10食限定)　650円

メイン料理・小鉢・スープ・ドリンク
夕暮れセット　1,050円

ハートランドビール小瓶or
グラスワイン・おつまみ

米粉パンケーキ　400円

ブレンド　350円

ブーニーバーガー

700円
ドリンク付き。
ランチメニューのハンバーグと22センチのブーニードッグが合体！
ボリューム満点で男性の方でも大満足なメニュー。

ワンコインオムライス

500 円
水曜日限定の人気メニュー。お手軽価格なのが嬉しい。
ミニサラダ・デザート・ドリンク付きは880円

焼きチーズカレー

650円
たっぷりチーズと温泉卵を乗せたアツアツの焼きカレー！
チーズと温泉卵が自家製のカレーにマッチした絶妙な味わい

Information

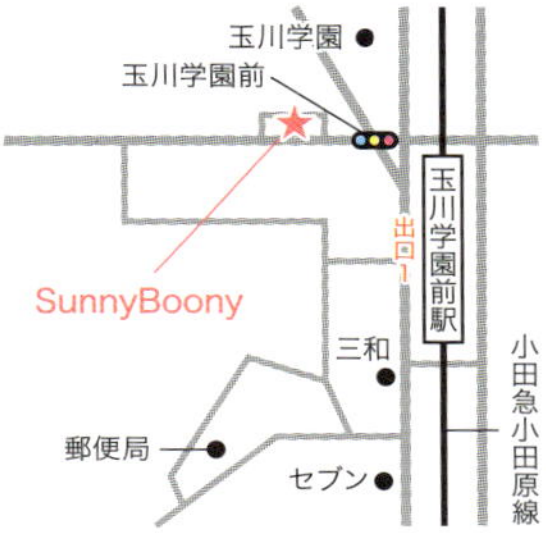

営業時間	11：00～21：00 (L.O.) 土は9：00～18：00 ランチ 11：30～14：00 (L.O.)
休業日	日曜日・祝日
座席案内	カウンター3席 テーブル10席
禁煙席	全席禁煙
所在地	町田市玉川学園5-1-5 RYビル
電話	042-785-4834
交通	小田急玉川学園前駅より徒歩4分
駐車場	なし

オーナーの元木由紀子さん

こぶたのブーニー君をイメージした、ぶたキャラのオリジナルメニューが楽しめるカフェです。ランチタイムには毎日替わる10食限定の日替わりランチがおすすめです。是非ご来店下さい。

玉川学園前駅

cafe LaLaLa kitchen

かふぇ　らららきっちん

木のぬくもり溢れる店内。オープンキッチンなので、調理姿も見ることができ安心。

本格料理が楽しめるカフェレストラン

ウッド調の入り口がかわいらしく印象的。扉を開けると、明るく上品な空間が広がります。本格的な洋食メニューが取り揃えられ、それらは全て手作り。町田の野菜やたまごを使っており、地元ならではの安心感も魅力。

お酒のメニューも豊富で、料理に合うワインや洋酒、カクテルを取り揃えており、女子会などにもおすすめ。お誕生日などの記念日にはサプライズにも対応していますので大切な人との特別なひとときに利用してみては。

お子様向けの絵本・塗り絵などが豊富。
お子様連れのママには嬉しい！

おすすめメニュー

ハイジのバスケットランチ　1,350円
(11:30～15:30)
4種の前菜・スープ・サラダ・メイン・パン
orライス・デザート・お替わりコーヒー

17：00～23:00限定
ハンバーグステーキ　1,290円
オムライス　1,100円

スペイン産の生ハムとラクレットチーズ

1350円/1250円
白豚の塩漬けを1年以上熟成させた生ハムと、とろ～りあつあつのラクレットチーズ。目の前で溶けたチーズを野菜やパンにかけてくれます！

牛ほほ肉の赤ワイン煮込み

1,430円
(サラダ・パンorライス付)
赤ワインでじっくりと煮込んだ柔らかいお肉。町田産のお野菜と一緒にどうぞ。

シフォンケーキと町田玉子プリン

450円～/380円
写真のシフォンケーキは「紅茶シフォンケーキ(バースデーver.)」
町田たまごプリンはたまごのコクとカラメルソースが相性抜群の人気スイーツ！

スタッフの田代茜さん

鶴川近辺の新鮮野菜と町田産の新鮮玉子を使った小さな洋食店です。お料理は全て自家製なのでお子様も安心して食べて頂けます。お酒も各種豊富。信頼のおけるインポーターのワインと洋酒の品揃えにはご満足いただけると思います。

Information

営業時間	モーニング10:00～11:30(L.O.) ランチ11:30～15:30(L.O.15:00)　ディナー17:00～23:00 (L.O.22:00)
休業日	月曜日
座席案内	テーブル21席
禁煙席	全席禁煙
所在地	町田市金井2-7-5 1F
電話	042-708-9993
交通	JR・小田急線町田駅より神奈中バス藤の台団地行金井小入口下車徒歩1分
駐車場	あり(5台)

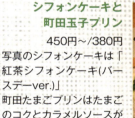

玉川学園前駅

CAFE GARDEN 風見鶏

かふぇ がーでん かざみどり

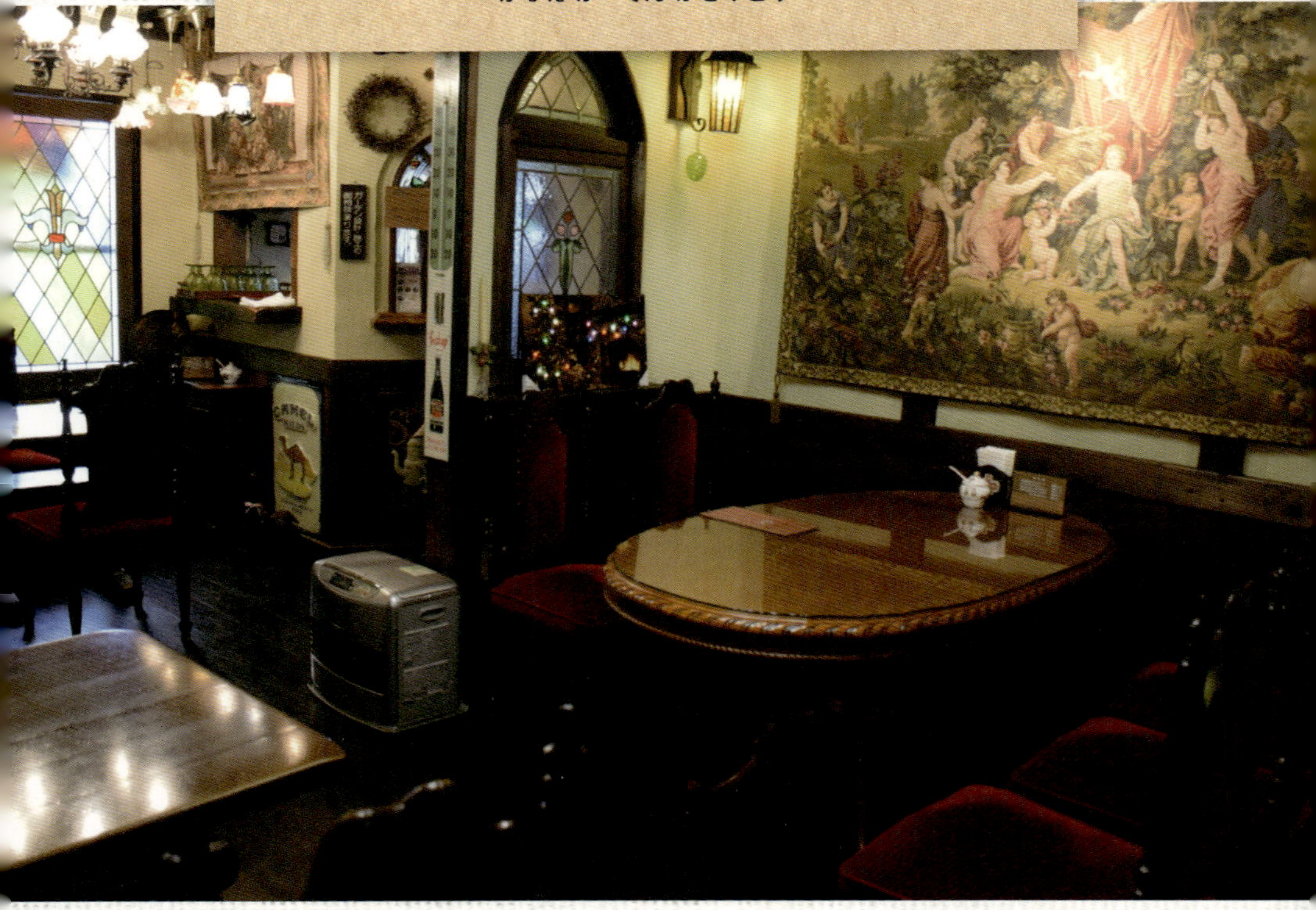

ステンドグラスから差し込む光が幻想的な雰囲気を作り出します。

美しい庭と手作りケーキを楽しむ

キレイに整備されたガーデンを併設した一軒家のカフェ。自慢のガーデンは店主夫妻がこつこつ作り上げたものだそう。5・6月には約60種のバラと、約30種のクレマチスがお庭を彩ります。

店内はアンティークステンドの窓や扉があしらわれ、アンティークのインテリアが並ぶ落ち着いた空間。自宅の畑にて栽培したラズベリーやブルーベリー、ハーブを使ったケーキとともに大人なひとときを過ごすことができます。

テラス席で庭を眺めながらすごすのがオススメ

おすすめメニュー

和風きのこのピラフ　890円
ビーフオニオンカレー　890円
(食事メニューのドリンクセットは1,250円)
本日の手作りケーキ　890円
(ドリンク付き)

お食事セット

890円(ドリンクセット1,250円)
写真は「エビとベーコンのスープパスタ」
ご主人お手製の食事メニューが取り揃えられています。

手作りケーキとドリンクセット

890円
写真は「ヨーグルトとチーズのケーキ」
スイーツとコーヒーでゆったりとしたひとときを。

ブレンドコーヒー

600円
コーヒーカップは一つひとつ違うアンティーク調のもの。お気に入りのカップが見つかるかも。

オーナーの久保浦一夫さん

当店のガーデンは、私が会社員だったころに妻に頼まれたことをきっかけに作ったものです。夫婦力を合わせて作ったイングリッシュガーデンを眺めながらゆったりとしたひとときを楽しんでいただければと思っております。

Information

営業時間	10:30〜17:30
休業日	火曜日・金曜日 (お盆・正月は長期休暇有り。電話にて要確認)
座席案内	テーブル13席　テラス6席 個室1室
禁煙席	テラス席のみ喫煙可
所在地	町田市野津田町2193-2
電話	042-734-9228
交通	鶴川駅より野津田車庫行で約15分　野津田車庫下車徒歩8分
駐車場	あり(1台) (近くに野津田薬師池公園駐車場あり)

玉川学園前駅

HUTTE

ひゅって

お子様連れの方にも安心なソファー席もあります。

手作り雑貨が並ぶシックで落ち着いたカフェ

玉川学園前から少し歩いたところにある雑貨も買えるカフェ。店内は白と木を基調とした落ち着いた雰囲気。店主夫妻がアウトドア好きということもあり、入口横にある本棚にはアウトドアに関する本が並びます。お店の一角には作家さんの手作り雑貨やアンティークショップから仕入れた商品が並ぶ雑貨コーナーがあります。

お食事は季節の食材を使った手作りメニュー。夜にはアルコールも提供しており、お酒にあった単品メニューも人気です。

店主が自ら仕入れたかわいいく
おしゃれな雑貨が並びます。

おすすめメニュー

HUTTEランチ　1,100円(税込)
HUTTE Blend　450円(税抜)
ガパオごはん　800円(税抜)

HUTTEランチ
(サラダ・ご飯・スープ付き)

1,100円(税込)
週替りのランチセット。
どれも野菜を中心とした手作りメニューで、体に優しいラインナップになっています。

キャラメルバナナケーキ

380円(税抜)
デザートは旬のフルーツを使ったものを3～4種類ご用意。食後のデザートや、ティータイムのおともにどうぞ。

季節のシロップジュース

486円(税込)
店主夫妻が直売所などで見つけた季節の果物を使った手作りシロップをソーダで割った自家製ジュース。お子さん向けに炭酸抜きも対応しています。

藤川千恵さん

店内は食事や会話の邪魔にならないよう、過剰な装飾をしない落ち着いた空間。ゆったりと楽しんでいただけたらと思います。定期開催している「ニチヨウツキイチ」では普段とは違うメニューを提供しています。

Information

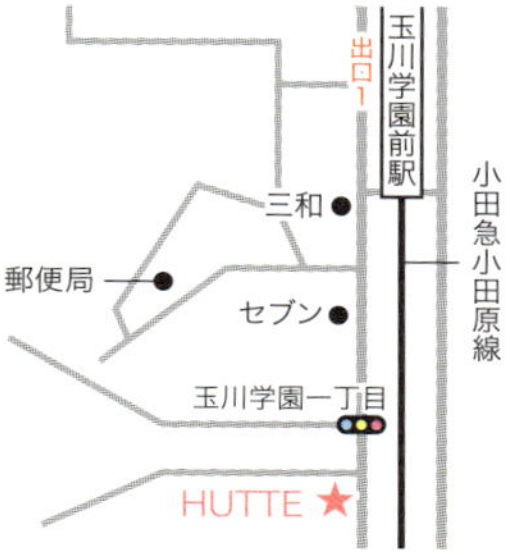

営業時間	11:30～22:00ランチ11:30～16:00 (L.O.15:00)　ディナー18:00～22:00(L.O.21:00)
休業日	月曜日
座席案内	テーブル18席　テラス4席
禁煙席	テラス席のみ喫煙可
所在地	東京都町田市玉川学園1-4-33-103
電話	090-7236-5953
交通	小田急線玉川学園前より徒歩7分
駐車場	なし(周辺にコインパーキングあり)

ふくや珈琲店

ふくやこーひーてん

町田駅

お気に入りがきっと見つかる！
心おどるアイテム・メニューとの出会い

店主夫妻がつくりあげたこだわりの空間

すてきな洋服と おいしいコーヒー

セレクトショップに併設されたカフェ。元々はセレクトショップのみでしたが、とっておきの一着をじっくり悩んで選んでほしいということで店内にカフェを設けたそう。

町田駅の喧騒から住宅街に一歩踏み入れたところにあるので、店内は静か。全国のロースターさんが焙煎した香り高いコーヒーをゆったりとした空間で味わうことができます。スイーツはグルテンフリー。おからベースの体に優しいものとなっています。

お店はセレクトショップの一角に。
お気に入りの服と共にほっと一息

おすすめメニュー

ふくや珈琲店オリジナルブレンド
500円
生姜たっぷりシナモンチャイ(HOT)
600円
牛乳たっぷりたまごプリン　500円

おからと黒糖のバナナケーキ

400円
グルテンフリー、小麦粉の代わりにおからを使ったヘルシーなスイーツ

オーガニックほうじ茶ラテ

600円
カフェイン少なめの、体に優しい一杯。

生姜どっさりの自家製ジンジャエール

600円
生姜をたっぷり使った、オリジナルのジンジャエール。他にも、自家製のジンジャーシロップを使用したカクテルなどもあります。

Information

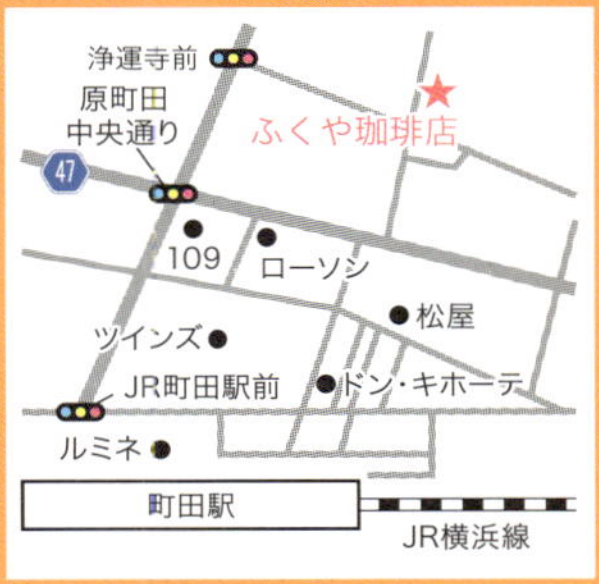

営業時間	12:00～20:00(L.O.19:30)
休業日	水曜日
座席案内	テーブル22席　カウンター2席
禁煙席	全席禁煙
所在地	町田市原町田4-12-4
電話	042-725-6641
交通	JR町田駅より徒歩6分
駐車場	なし(周辺にコインパーキングあり)

WELCOME MESSAGE

お店より

セレクトショップの一角で営んでいます。ゆっくり、じっくり服を選んでいただきたいと思い、始めました。駅からほんの少しだけ離れた、静かな場所でゆったりとしたひとときを過ごしてください。

雑貨と喫茶　福綴

ざっかときっさ　ふくつづり

小田急相模原駅

雑貨コーナーの奥にはカフェスペースが。優しい雰囲気のほっと安らぐ空間。

こだわりが垣間見えるおしゃれなお店

住宅街の中にひっそりと佇む雑貨店&喫茶。店内の奥の喫茶スペースは、すてきな雑貨たちに囲まれたまるで隠れ家のよう。雑貨コーナーでは、器を中心に日々の暮らしの中で使えるものや作家さんの温かみのある作品がずらりと並んでいます。

コーヒーから食事メニュー、スイーツまで品質・食材にこだわっており、雑貨だけでなく喫茶としても多くのファンがつくおしゃれなお店です。

雑貨コーナーではすてきな商品が並び、ついつい時間を忘れてしまいそう。

おすすめメニュー

あじわいブレンド(480円)
牛すじ(日高高原牛)とひよこ豆のカレー 950円
ガパオライス　890円
※メニューは季節等により変更される場合があります。

季節の食材を使ったパスタ

写真は「根室産秋刀魚のプッタネスカ」（ミニサラダ・パン付 980円）
オリーブとケッパーの入った、道産秋刀魚の旨味たっぷりの辛いトマトソース

スイーツ各種

写真は「ムスティッカ ピーラッカ」¥480
北海道余市産のブルーベリーを100%使用した北欧のブルーベリーパイ

ドリンク各種

写真は「マロッキーノ」600円
エスプレッソにショコラとミルクを淹れたもの。フェルクリン社のクーベルチュールを使った贅沢な一杯。

WELCOME MESSAGE

福田美妃さん

雑貨と喫茶のお店、福綴です。私たちの大好きな作家さんの作品や暮らしの中で使える道具、遊び心が見えるアイテムまで幅広く取り揃えております。美味しい珈琲やお菓子、食事と共に、くつろぎながらお気に入りを探してみてください

Information

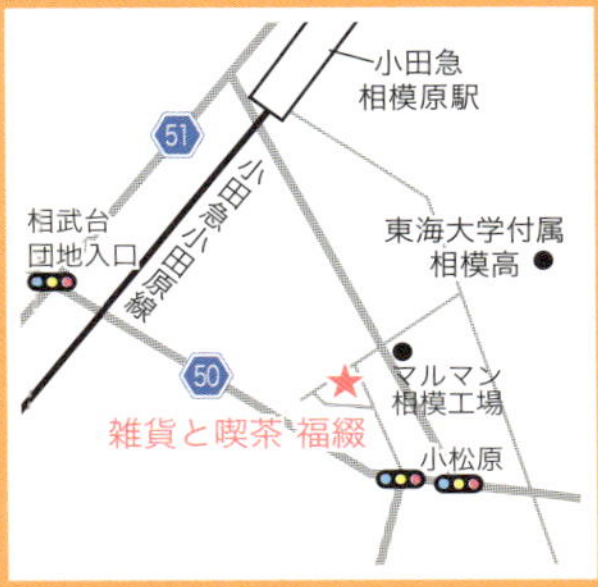

営業時間	10：30～21：00(L.O.) 食事は11：30から（前日までの予約で11：00から可）
休業日	木曜日
座席案内	テーブル8席　カウンター4席
禁煙席	全席禁煙
所在地	座間市相模が丘4-29- 2
電話	046-205- 3950
交通	小田急線小田急相模原駅より徒歩15分
駐車場	あり(3台) (近くにコインパーキングあり)

ZOU COFFEE + SELECT

ぞうこーひーぷらすせれくと

相模大野駅

かわいい雑貨

おしゃれな雑貨がぎっしりつまった空間

お店に溢れる雑貨とおいしいカフェごはん

雑貨店とカフェが融合した、わくわくがたくさんつまったお店。店内には多国籍な雑貨がところせましと並びます。商品は多彩な仕入先から店主自ら選んだものばかり。手作りの雑貨もあり、見ていて飽きません。

お店の奥のカフェスペースはまるで秘密基地のような空間。お食事メニューやスイーツ、アレンジドリンクまで、豊富なメニューが取り揃えられています。かわいい雑貨に囲まれながら、ゆったりティータイム。お気に入りのものを見つけて、特別な時間をすごしてみては?

お気に入りをみつけたらカフェスペースでほっと一息

おすすめメニュー

全粒粉パンのホットサンド　780円
オイルサーディン焼き&全粒粉パン
890円
おにぎりセット　1000円
(有機緑茶・自家製ピクルス・アイス
三種付き)
アレンジドリンク　420円～

ペンネグラタン

850円
鶏肉、ツナ、しめじ、玉ねぎがぎっしり詰まったペンネグラタン。焼き立てアツアツでご提供！

ピリ辛トマトスパゲッティー

900円
ピリ辛のトマトソースに、スモークベーコンとミニホタテが乗った、人気メニュー。

国産小麦の焼き立てワッフル

可愛らしく盛り付けされたワッフル。写真はアイスと生クリーム、ミックスベリー、メイプルシロップ付き。シンプルな味が楽しめる、プレーンワッフルもご用意。

WELCOME MESSAGE

店長の湊くみさん

「また食べたくなる味！」を目指してお作りしてます！雑貨の山からお気に入りの雑貨を見つけたり、お茶したり…ゆったりとお過ごしいただければ嬉しいです。オリジナル商品やワークショップにも力を入れています！

Information

営業時間	11:00～17：00
休業日	不定休(HPやSNSで告知)
座席案内	カウンター5席
禁煙席	全席禁煙
所在地	相模原市南区双葉2-18-6
電話	042-851-5022
交通	相模大野駅・小田急相模原駅よりバスで約10分「桜台」又は「水道路」下車1分
駐車場	なし(近くにコインパーキング有り)

つくし野駅

ごはんとおかず　蹊亭

ごはんとおかず　こみちてい

レトロな雑貨が並ぶおしゃれな店内。あたたかな雰囲気の中でおいしい料理を楽しめる。

アメリカンレトロを思わせる空間でこだわりのご飯

1週間かけて仕込むデミグラスソースや、豚骨と鶏ガラから煮出して取るラーメンスープなど、手間ひまかけて作った料理が味わえるお店。料理はもちろん、ソースやドレッシングにいたるまでほとんどが手作り。味だけでなく、安心安全にも気を使っています。

色々なメニューが楽しめる小皿メニューも約10種類ご用意。好きなものを好きなだけ食べられるのが嬉しい。お一人様のお客さんも多く、2ヶ所設けられたカウンター席で思い思いの時間を過ごすことができます。

カウンターは壁側とキッチン側の2ヶ所。キッチンに面したカウンターでは、店主との会話が弾みます

おすすめメニュー

小皿　各300円
生姜焼き定食　980円
タコライス　900円
オムライス(ディナー限定)　900円

ハンバーグ定食

1080円
(おかず単品600円)
店主こだわりのじっくり仕込んだデミグラスソースが絶品。

ナポリタン

800円
夜限定メニュー。
昔ながらの味に加え、お店独自の美味しさが垣間見える一品

焼きたてアップルパイ バニラアイスクリーム添え

720円
焼き立てアツアツのアップルパイに、バニラアイスを乗せました。サクサク生地がたまらない！

店長の石黒達男さん

元々洋食カフェだった当店は、10周年を機に屋号を蹊亭と改め、メニューを一新。凡庸性の高いカフェの魅力を残しつつ、食堂のような幅広いメニューを提供することで、より多くのお客様に満足いただけるお店を目指しています。

Information

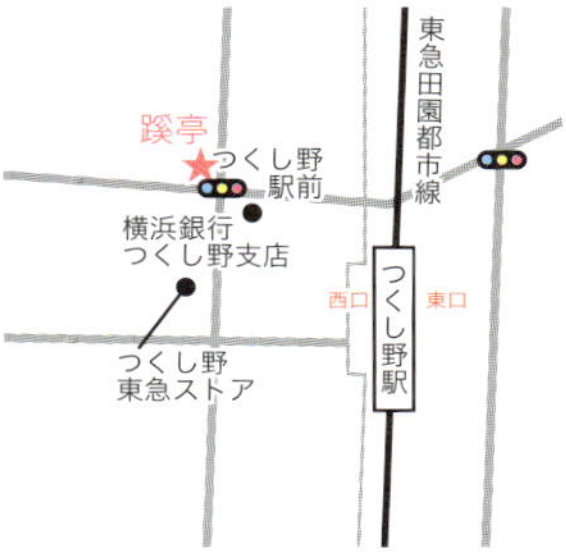

営業時間	ランチ11:30～14:00(L.O.) ディナー18:00～22:00(L.O.)
休業日	日曜日
座席案内	座席案内カウンター5席・テーブル12席・テラス12席
禁煙席	ランチタイムは店内全席禁煙・テラス席のみ喫煙可
所在地	町田市つくし野1-22-1つくし野プラザA-108
電話	042-796-9663
交通	東急田園都市線つくし野駅より徒歩2分
駐車場	あり(1台)

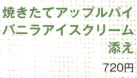

鶴川駅

a bee cafe

あびーかふぇ

マフィンは全部で約 20 種類！お持ち帰りもできるのでお土産にもどうぞ。

焼きたてマフィンと体に優しいカフェごはん

　鶴川団地の商店街にある小さなカフェ。朝焼き上げたばかりのマフィンがショーケースに並びます。デザートマフィンから、お食事マフィンまで幅広く取り揃えられており、人気の看板商品となっています。

　マフィンセットやデザートセット、お食事のセットまであり、夜には夜カフェとしてお酒のメニューも。様々なシーンで利用できます。珍しいハーブティーなどもあり、ドリンクもお好みのもので楽しめるのも魅力。

奥にもカウンター席、テーブル席があるので
その日の気分に合わせたお気に入りの席で。

おすすめメニュー

人気マフィンBEST3

3種のベリーとクリームチーズ
280円
チョコレートリッチ　270円
枝豆コーンクリームチーズ　270円
※すべて税込み価格

グリルドチキンの
サラダ丼温玉添え

950円(税込)
選べるドリンク付き。野菜にこんがり焼いたチキンが乗ったヘルシーかつボリューム満点のメニュー！

マフィンセット

600円(税込)～

お好きなマフィンと選べるドリンクセット。店内で食べる際は食べやすくカットしてくれます。

マフィンソフト

450円(税込)
温かいマフィンにミルキーなソフトクリームがたっぷりのった一品。お好みのマフィンで。

WELCOME MESSAGE

Information

営業時間	11:00～20:00ランチ 11:00～14:00(L.O.) 夜カフェ15:00～20:00 (L.O.19:30)
休業日	毎週日曜日・第1・3・5月曜日
座席案内	テーブル10席・カウンター3席
禁煙席	全席禁煙
所在地	町田市鶴川2-14-13
電話	042-813-9936
交通	鶴川駅より小田急・神奈中バス鶴川団地行でセンター前下車徒歩1分
駐車場	なし(周辺にコインパーキングあり)

お店より

国産小麦粉、きび砂糖、安心できるたまごとはちみつの優しい味わいのマフィンと、お野菜たっぷりのランチメニューの他、夜カフェメニューも充実。地域の方々がホッと寛げる空間で皆様のお越しを心よりお待ちしております。

南町田駅

カフェ舞風花

かふぇぶぅけ

店内や店員さんの雰囲気すべてがアットホームで、ほっと安心できるお店。
お客様同士が気さくに会話する場面も。

花と緑が溢れる癒やし空間

２０１７年で21周年を迎えた、珈琲好きのオーナーが営むカフェ。開店当初から店内には生花やグリーンを欠かさずに置かれています。女性だけでなく、男性の方にも「癒される」との声があがるそう。

開店当初から変わらぬこだわりの珈琲豆はおいしいと評判。また、お客様の声を常に取り入れ新鮮さを欠かさないように心掛けています。ライブや、落語、歌声喫茶などイベントにも力を入れているので要チェック！

オーナー自ら手入れする季節の花々。
そのこだわりは約200客に及ぶカップにも垣間見れる。

おすすめメニュー

珈琲　コロンビア　600円
フレッシュバナナジュース　600円
柚子茶　500円
厚切りトースト　500円

舞風花ブレンド

500円
味、香り共にバランスのとれた舞風花ブレンド。一杯ずつ丁寧にハンドドリップで

厚切りトースト

500円
舞風花定番人気の厚切りトースト。サラダ・玉子・ジャム付き

自家製コーヒーゼリー

500円
お店で作ったコーヒーゼリー。お店自慢のカップで見た目も楽しめる。

WELCOME MESSAGE

Cafe ぶぅけ
舞風花

大月圭介さん

開店から21年、変わらぬ店内には、花や珈琲の香りとJAZZが紡ぐゆったりとした時間が流れます。当店はちょっと現実逃避できるほっとできる憩いの場でありたいと考えています。あなただけのひとときを見つけにお越しください。

Information

営業時間	11:30～20:00 （金・土のみ22:00まで）
休業日	水曜日（祝日の場合営業）
座席案内	カウンター8席・テーブル12席
禁煙席	なし
所在地	町田市南町田1-13-25ヒルズ町田1階
電話	042-799-1909
交通	東急田園都市線南町田駅より徒歩15分
駐車場	あり(無料)

ふくろうの森《ふくろうのもり》

町田駅

食べておいしい　見て楽しい
キュートでおしゃれなスイーツ自慢

木のぬくもり感じる店内は、居心地がよく、ゆったりと会話が楽しめる。

ヘルシーでかわいいスイーツが楽しめる

町田駅より歩いてすぐのところにあるカフェ。提供しているスイーツは砂糖・グルテン・添加物すべて不使用の「ギルトフリー」。ヘルシーで、ダイエット中の方や小麦アレルギーの方でも思う存分楽しめるメニューとなっています。

フードメニューも、米粉を使ったパスタなどすべて「グルテンフリー」。体に優しく、安心して食べられるものばかり。糖質やカロリーが気になる方にオススメのお店です。

駅チカなので買い物の休憩にもおすすめ♪

おすすめメニュー

米粉のパンケーキ　1,070円
アボカドとトマトソースドリア
900円
ジェノベーゼ　980円

デラックス米粉パンケーキ

1,600円
おしゃれに盛り付けられたパンケーキとフルーツは、写真映えすること間違い無し！

ブッタボウル

980円
発芽玄米・十穀米・キヌア・野菜の絶妙な配合で満腹感を得られる美容食。

ミックスベリー

620円
ビタミンEが豊富なアーモンドミルクを使用し、アンチエイジング効果があり、オレイン酸・カルシュウム・鉄分が豊富！食物繊維はレタスの9倍！

Information

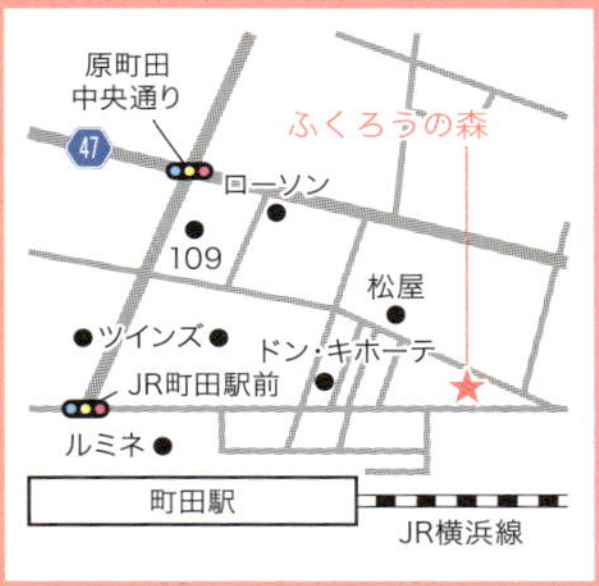

営業時間	11:00～21:00 (L.O.20:00) ランチ11:00～14:00(L.O.)
休業日	木曜日
座席案内	テーブル40席
禁煙席	全席禁煙
所在地	町田市原町田4-3-14 1F
電話	042-850-8807
交通	JR町田駅より徒歩2分
駐車場	なし

WELCOME MESSAGE

田原知香さん

“食べてキレイに”をコンセプトにやっています。体の中からきれいにならないと意味がない！話題となっている「ギルトフリー」や「グルテンフリー」の食事法でみなさんも体の中からキレイになってみませんか？

猿 Cafe　町田マルイ店

さるかふぇ　まちだまるいてん

町田駅

かわいいスイーツ

5階ファッションフロアの奥にある、居心地のよい大人の癒し空間。
ソファー席では時間を忘れてくつろいでしまいそう。

名古屋発祥の自由なスタイルで過ごせるカフェ

ＪＲ町田駅に直結したマルイ内にあるカフェ。ストーンアイスとハーブティーが看板メニュー。かわいく盛り付けられたスイーツは写真映えすること間違い無し！平日のランチタイムにはハーブティーを含むドリンクが飲み放題のドリンクバーが付くのも嬉しい。

店内はモロッコ調のタイルがあしらわれた、明るく開放感のある空間。奥にはソファー席があり、ゆったり過ごせると女性に人気。ベビーカーのままでもご来店いただけるのでお子様連れのお客様やママ会にも！

平日ランチ限定！様々なハーブティーのドリンクバー

おすすめメニュー

グリルチキンのスパイシースープカレー　1,150円
SARUバーガー　1,200円
濃厚明太子クリームきしめん　1,180円
粗挽きミートとアボガドのメキシカンタコライス　980円
※全て税抜き価格

ブリュレフレンチトースト 〜ベリーベリー〜

1,100円(税抜)
クリームブリュレの上にたっぷりフルーツと一緒にフレンチトーストが乗ったスイーツ。大きめのサイズなのでお友達とシェアするのもおすすめ！

マウンテンストーンアイス

1,480円(税抜)
マイナス18℃で凍らせた石の上に、アイスクリーム、ホイップクリーム、ワッフル、フルーツをふんだんに盛り付けたボリューム満点のアイスケーキ。

ハーブティー各種

600円(税抜)
レギュラーメニュー4種と、季節ごとに替わる2種の全6種。その気分に合わせ選ぼう。

WELCOME MESSAGE

スタッフの高杉蒼さん

名古屋発祥のカフェです。ゆったりとおくつろぎいただけるソファー席は小さなお子様連れやカップル、女子会などにオススメです。ボリューム満点のカフェ飯、自慢のデザートをご用意してお待ちしております！

Information

営業時間	10：30〜20：30　ランチ10:30〜15：00 (L.O.)　ディナー15:00〜20：00 (L.O.)
休業日	町田マルイの休館日に準ずる
座席案内	カウンター8席・テーブル席18個室なし
禁煙席	全席禁煙
所在地	町田市原町田6-1-6町田マルイ5F
電話	042-720-5536
交通	JR町田駅より徒歩1分
駐車場	マルイ提携駐車場 ＊お買い上げレシート2,000円で1H無料

かわいいスイーツ

カフェ トガシ《かふぇ とがし》

相模原駅

ガラス張りの入口を入ると木材を使用した明るい店内。
カウンター席もあるので一人でも気軽に立ち寄れます。

本格スイーツに、パンや食事まで楽しめるカフェ

てんとう虫が目印のかわいらしいカフェ。焼き上がったパンのおいしそうな匂いが漂います。メニューはすべて手作りで、パン・ケーキはもちろんパスタなどのお食事メニューも豊富。ドイツで修行した店主が作るチョコ細工は美しく且つ迫力満点！ 食べるのがもったいなくなりそう。

ランチタイムはセットがありお得。パンやケーキはテイクアウトも可能です。お土産用に自家製のお菓子もあります。店内には子ども用イスなども置いてあるので、お子様連れの方も安心です。

焼き立てパンの販売もしております。

おすすめメニュー

手打ちパスタセット1,080円
ケーキセット702円～
季節のパフェ　864円

ケーキセット

本日のケーキとドリンクで200円引き
写真はカップショートケーキ（左）とバームクーヘン（右）
食後のデザートや、ティータイムのお供にぴったり！

今月のおすすめ

手打ちパスタランチセット1,080円
ドリンク・本日のケーキ付き。
パスタ単品は864円。

季節のパフェ

864円
写真はチョコレートパフェ
ドイツで磨いた技術で作ったチョコレート細工が美しい。

WELCOME MESSAGE

オーナシェフ 富樫幸至さん

落ち着いた空間でスペシャリティコーヒーと、渡独・町田製菓専門学校教員を勤めた店主の手作りのケーキやパンをお楽しみ下さい。ランチセットは特におすすめ！リーズナブルな価格となっております。

Information

営業時間	モーニング9：00 ～11：00 ランチ11：00 ～14：00（L.O.） ディナー14：00 ～18：30
休業日	日曜日、不定休
座席案内	カウンター席4・テーブル席24・個室なし
禁煙席	全席禁煙
所在地	相模原市中央区中央1-10-15
電話	042-707-1800
交通	JR相模原駅より徒歩15分
駐車場	なし

相模大野駅

ANGIE CAFE

あんじー かふぇ

ほんのりと照らす、間接照明が不思議な雰囲気を作り出しています。

お手軽価格の隠れ家的カフェ

映画のポスターに囲まれ、間接照明で照らされた店内はまるで隠れ家のような雰囲気。ドリンクやフードメニューが豊富で、手作りのものがほとんど。オーダーを受けてから一品一品丁寧に作り、提供しています。

カフェドリンクからカクテル、そしてフードメニューのコスパの良さも、魅力のひとつ。ついついゆっくりと寛いでしまいます。夜はバーとしてもご利用いただけます。また、アルコールメニューはお昼の時間帯も提供しているので、お休みの日に明るいうちからお酒を飲むなんてことも。

ソファー席が多く、ゆったりくつろげます。

おすすめメニュー

キャラメルトースト　250円
ローストビール・アボガド・モレラのサンド420円
ハーブティー各種　280円
ソイ抹茶オレ　370円

クロックムッシュ

300円
分厚くふわふわしっとり食パンにチーズやベーコンがたっぷり乗っています。
トーストメニューはほかにも多数あり。
23:30以降は+50円

マシマロキャラメルシナモンカフェ

400円
キャラメルラテにシナモンとマシュマロがトッピングされた贅沢な一杯

ケーキ各種

写真は「NYチーズケーキ」
コーヒー・紅茶のセット520円　その他ドリンクの場合は620円　(セットは23:30まで)

WELCOME MESSAGE

店長の千綿さん

18時～20時まではカクテル・ビールがお安くなっております。コーヒーや紅茶、パン、ケーキなどどのメニューもリーズナブルな価格設定となっておりますので気軽にご利用ください。

Information

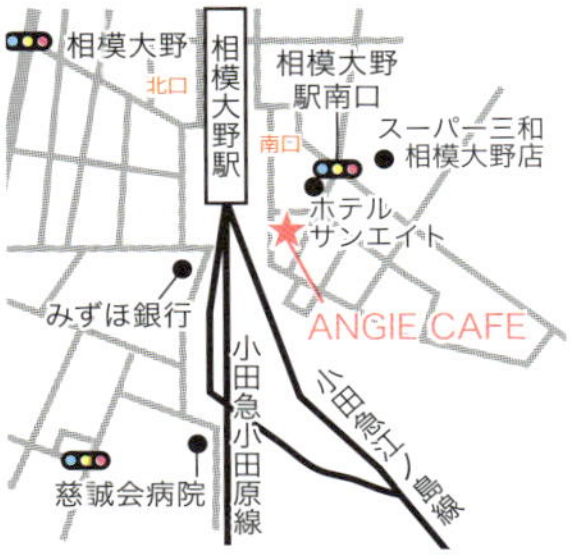

営業時間	14:30～25:30　ディナータイム18:00～
休業日	日曜日
座席案内	テーブル32席
禁煙席	なし
所在地	神奈川県 相模原市南区 相模大野 8-3-3　センチュリーKIビル1階
電話	042-747-2917
交通	小田急線相模大野駅2分
駐車場	なし(周辺にコインパーキングあり)

相模大野駅

naruco cafe

なるこ かふぇ

かわいい絵や手づくりのあたたかみが感じられる作品に囲まれた空間。
日常のひとコマにおしゃれなカフェで過ごす時間をプラスしてみてはいかが。

世代や性別を問わず みんながくつろげる隠れ家的な落ち着くカフェ

ビルの2階にある小さな隠れ家的カフェ。学生さんから主婦、年配の方までそれぞれが思い思いの時間を過ごせる空間づくりがコンセプトです。

店内はアートを楽しめるギャラリーにもなっており、展示が2週間ごとに変わります。作家さん手づくりの雑貨も販売。食器も作家さんにオーダーしたオリジナルのものを多く使用し、オリジナリティーあふれるメニューでカフェ気分を盛り上げてくれます。

作家さんたちの手づくり雑貨を販売しています。

おすすめメニュー

ランチメニュー

ベーコンときのこのクリームライス
900円
鶏のフォー　950円
ロコモコ玄米ごはん　1,000円
※ランチメニューはドリンク付き

紅茶シフォン　500円
ベトナム風お汁粉チェー　500円

えびのグリーンカレー

850 円
本場タイの食材を使って作られているので、本格的な味が楽しめます。

naruco ブレンドコーヒー

400円
作家さん手づくりの織部色のオリジナルカップでどうぞ。

おいものクランブル

500 円
オーダー後に焼き上げます。バニラアイスとキャラメルソース。アツアツと冷え冷えを一度にどうぞ。

WELCOME MESSAGE

店長の成嶋さん

お友達のお部屋に遊びに来たようなリラックスした気分でお食事やお茶はもちろん、お勉強や読書、楽しくおしゃべり、また展示作品や手づくり雑貨を見たり……思い思いの時間をお過ごし下さい。

Information

営業時間	11:00～21:00 (L.O.20:30)
	ランチ11:00～15:00 (L.O.)
休業日	火曜日
座席案内	テーブル9席・ソファー10席
	11:00～17:00は全席禁煙
禁煙席	相模原市南区相模大野5-27-12
所在地	東屋ビル2-2F
電話	042-745-0037
交通	小田急線相模大野駅より徒歩8分
駐車場	なし

相模大野駅

bio ojiyan cafe 相模大野店

びお おじやん かふぇ さがみおおのてん

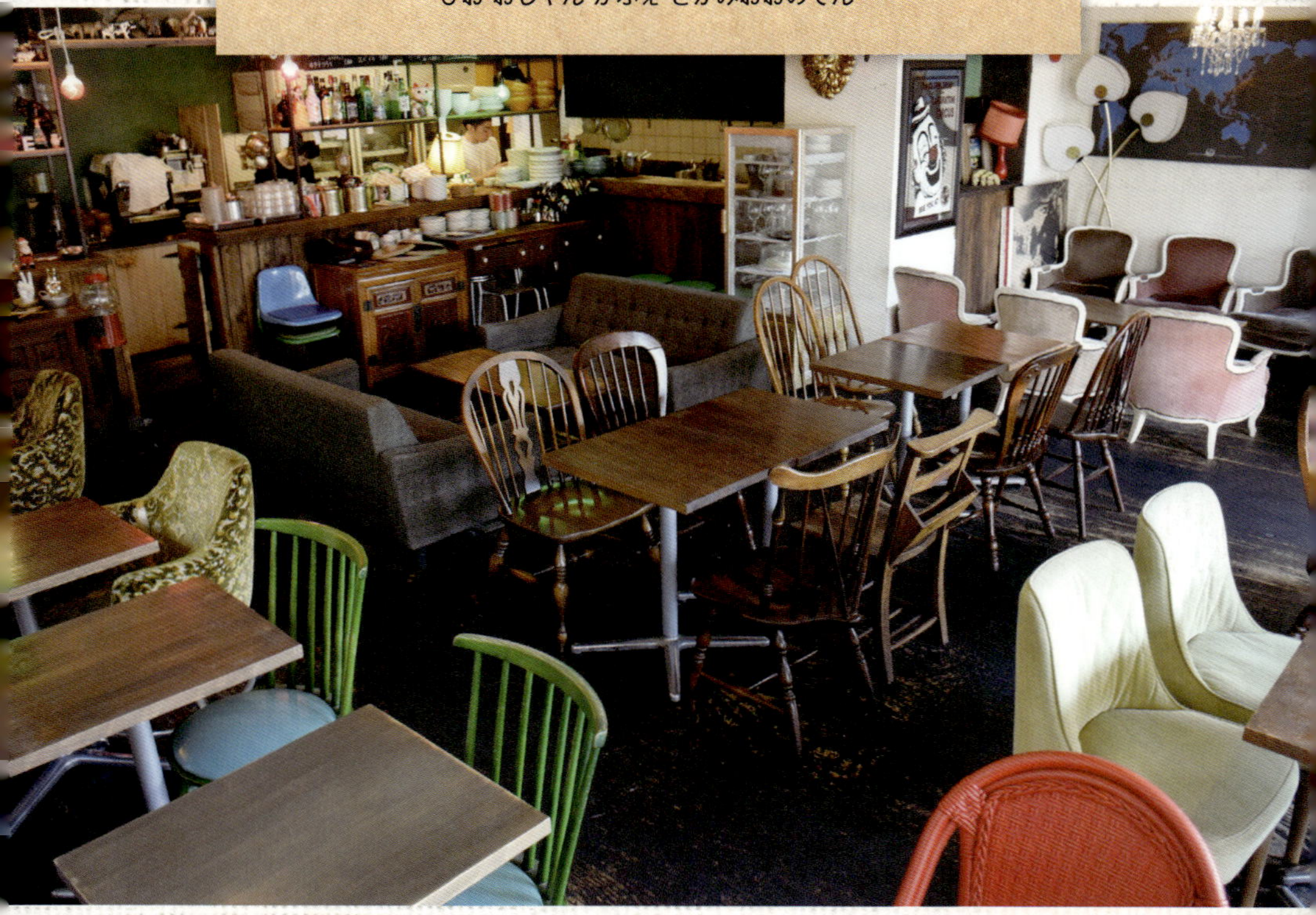

シックな木製テーブルと種類の異なる椅子。その調和が絶妙なレトロ空間。

〝おじや〟とおしゃれな空間のコラボレーション

相模大野駅の南口、静かな通りにあるカフェ。1999年に原宿のキャットストリートに一号店がオープンし、おしゃれな空間とおいしいごはんが評判となり、店舗が徐々に増えていきました。

お店の看板メニューは昔ながらの「おじや」。店内もレトロな雰囲気で、どこか懐かしい気持ちになれるお店です。おじやは作り置きではなく、注文を受けてから作るのでできたてアツアツのものが食べられます。おじやの他にも定食やアルコールなど、幅広いメニューを取り揃えているので、様々なシーンでご利用できます。

ソファー席やテラス席も。

おすすめメニュー

生姜焼き定食　960円
コロッケ定食　800円
明太子アボカド丼　950円
日替わりシフォンケーキ　550円

おじや

Mサイズ650円
Lサイズ750円
アボカドや明太子などトッピング(50円～)のトッピングが豊富！自分のお好みのおじやにしよう。

抹茶レアチーズケーキとカスタードプリン

580円/500円
スイーツメニューも豊富。食後のデザートや、お茶のお供に。

コーヒー

300円　HOTorICE
お店の名前が入ったかわいいマグカップにて。
ランチメニューには150円、ディナーメニューには250円で付けられます。

店長のハンプティダンプティ

店長は僕、ハンプティダンプティー！アルコールのメニューも豊富で、カフェとしてだけでなくお酒の場としても。お友達同士やカップル、女子会など様々な用途で利用できるお店となっておりますので、お気軽にご利用ください！

Information

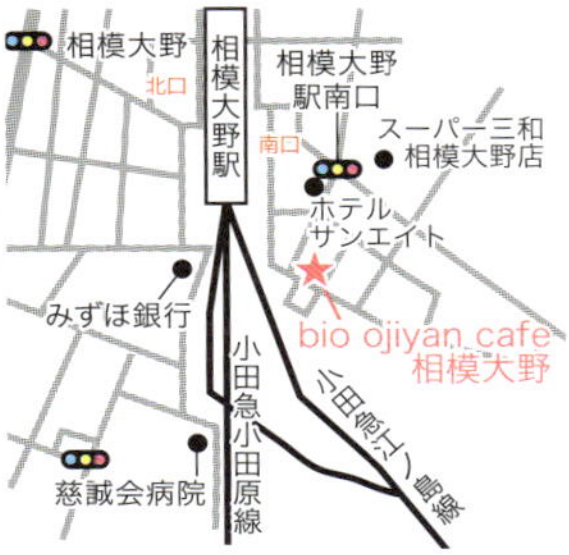

営業時間	11:00～23:00 (food L.O.22:00/drink L.O.22:30)
休業日	なし
座席案内	座席数：テーブル60席　テラス8席
禁煙席	全席禁煙
所在地	相模原市南区相模大野8-4-7
電話	042-744-1160
交通	小田急相模大野駅より徒歩3分
駐車場	なし

相模大野駅

DivingShop & Café GillMan

だいびんぐしょっぷあんどかふぇぎるまん

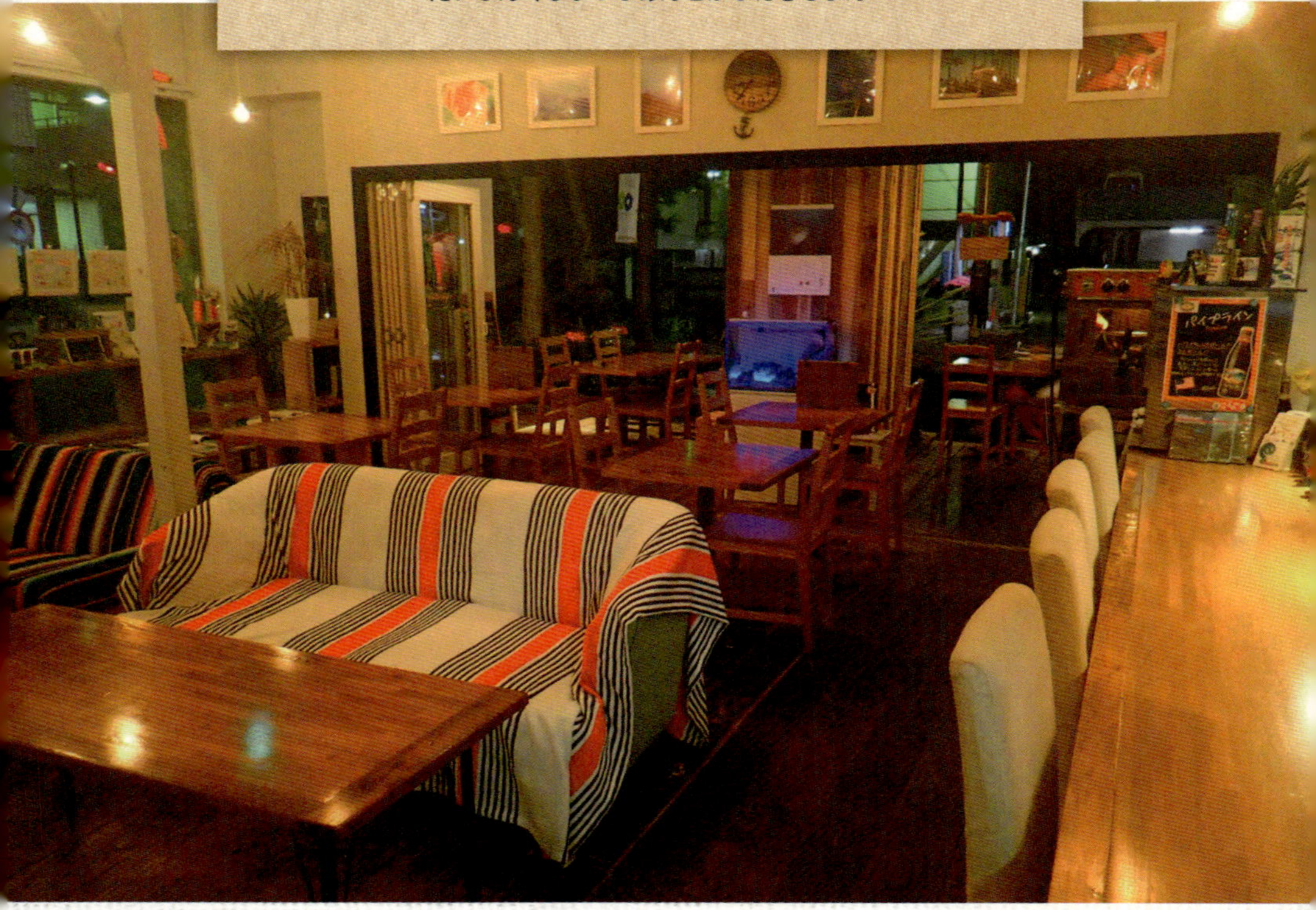

まるで夏のビーチに来たような気分になれる店内。
ところどころに海を感じるものがディスプレイされています。

ダイビングのインストラクターが営むカフェバー

日中はダイビングショップとして、夕方からはカフェバーとして、海好きの人々が集うお店。ダイビングの経験者はもちろん、まだ経験はないけれど、興味はある・・・という方にもおすすめ！素敵な海の話が聞けるはず。

　世界のクラフトビールが常時50種類以上と豊富。お酒に合うお食事メニューも取り揃えられております。お店自慢の「ロティサリーチキン」は手間ひまかけて作ったこだわりの逸品。こちらは完全予約メニューなのでお早めにお問い合わせを。

カウンター席でお一人でもマスターと海の会話が楽しめる！

おすすめメニュー

ベルギーフリッツ
小480円　大570円
(マヨネーズ・アイオリ・柚子胡椒マヨネーズetc.から2種類のソースが選べます)

PIZZA　1,000円
(マリゲリータ・クアトロフロマッジョetc.)
世界のクラフトビール各種
トロピカルカクテルメニュー各種

ロティサリーチキン

2,980円（完全予約制）
塩と特製のハーブに2日間漬け込み、専用のロティサリーマシンで1時間以上かけてじっくり焼いた自慢のメニュー。予約制なので、要お問い合わせ。

PIZZA

1,000円(写真はマルゲリータ)
高温窯で一気に焼き上げたピザはアツアツでご提供！

世界のクラフトビール

650円～
50種類以上と、地域最大級の品揃え！お気に入りのクラフトビールを見つけてみてはいかが？

代表の北原　学さん

海が好きな方、ダイビングに興味がある方、是非一度遊びに来てみて下さい。様々なダイバーさん達が海の話を肴に盛り上がっています。一緒に海の話をしてみませんか？ダイビングライセンス等についてもお気軽にお問合せ下さいね。

Information

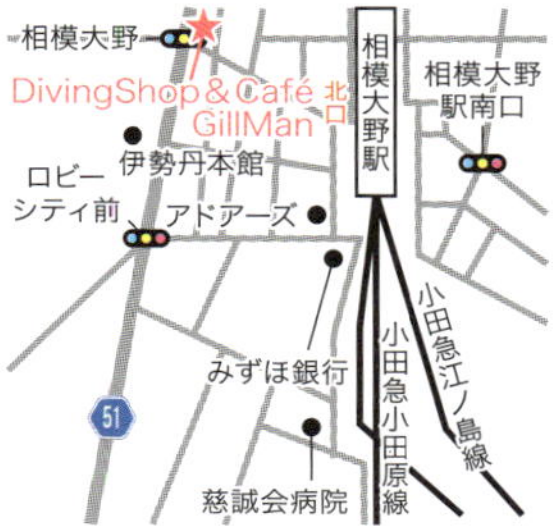

営業時間	DivingShop：14:00～18:00　カフェバー：18:00～23：00 ※Divingツアーや講習の都合で営業時間が前後する場合あり
休業日	火曜日
座席案内	カウンター6席　テーブル3席　テラス1席
禁煙席	全席禁煙
所在地	相模原市南区相模大野3-19-13
電話	042-705-1590
交通	小田急線相模大野駅より徒歩3分
駐車場	なし(近辺にコインパーキング多数あり)

相模大野駅

KAFE 六月園

かふぇろくがつえん

天井が高く、テーブルもゆったりとした間隔で配されているので、気兼ねなくくつろげます。
お子様連れも歓迎！

北欧好きのオーナーが作った居心地のいいお店

相模大野銀座通り商店街にあるカフェ。店内は北欧ノルウェーやデンマークをイメージした、オーナー自らが内装を手がけているこだわりの空間。〝KAFE〟の表記は北欧のスカンディナビア語から引用したそう。入口は全面ガラス張りで日あたりがよく、オープンカフェのような雰囲気です。

コーヒーはこだわりの六月園オリジナルブレンド豆。地元相模原産のブランド卵、長寿卵を使用したスイーツをはじめとして、目でも楽しめるさまざまなジャンルのメニューを提供してくれます。

ガラス張りで陽射しいっぱいの明るい店内。

おすすめメニュー

塩ダレ豚トロ丼　950円
サーモンとほうれん草の十五穀米ドリア
950円
プレーンパンケーキ　880円
キャラメルバナナパンケーキ　980円

自家製厚切り煮豚のピリ辛ネギ丼ぶり

とろとろに煮込んだ豚肉の上に、ピリ辛ネギを乗せた食欲そそる一品

ガパオライス

950円(サラダ付き)
ランチタイムはドリンク付きで980円。デザートが300円でプラスできます。

クレームブリュレのパンケーキ

1,080円
長寿卵を使用したふっくらパンケーキがひと皿に4枚重ね♪

店主の上田五月さん

2011年6月にオープンしたKAFE六月園。KAFEの「K」は私たちの大好きな北欧の表記(スカンディナビア語)からつけました。さまざまなシーンに似合うカフェでありたいと願っています。お気軽にご来店ください。

Information

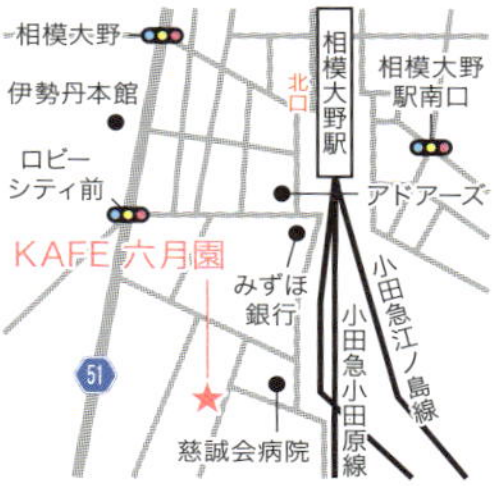

営業時間	11：30～22：00 (L.O.21：00) ランチ11：30～15：00 (L.O.)
休業日	火曜日
座席案内	カウンター4席・テーブル19席
禁煙席	全席禁煙
所在地	相模原市南区相模大野6-13-8
電話	042-741-1602
交通	小田急線相模大野駅より徒歩5分
駐車場	なし

相模大野駅

ベーカリー HIMUKA

べーかりー ひむか

ずらりと並んだ個性豊かなパン。その香りに包まれ、やさしい気持ちになれそう。

来て楽しい、食べて おいしいパン屋さん

相模大野駅から少し歩いたところにある、パン屋さん。天然酵母パンから、かわいいキャラクターパン、焼き菓子まで、幅広い商品を取り扱っています。中でも食パンは日替わりを含め、8種類と豊富！人気商品となっております。

カレーパンの具や、カスタードクリームなどは自家製のもの。最高の材料でリーズナブルな価格で提供することに心がけているそう。生地からパンの中身までこだわった、安心安全なパンを楽しむことができます。

食パンは8種類をご用意。お気に入りの食パンを見つけよう。

おすすめメニュー

食パン　213円
天然酵母スイート　クロワッサン
150円
フレンチトースト　110円
天然酵母山食　1斤269円

クリームパン

120円
中のカスタードクリームも材料にこだわって作った自家製のもの

フレンチトースト

110円
特製の食パンに、たっぷりと卵をしみこませた人気のパン！気軽に食べられて大満足な逸品です。

天然酵母 スイートクロワッサン

150円
天然酵母を使ったクロワッサン。バターの芳醇な香りがただよいます。

オーナーの甲斐　聖一さん

「来て楽しい、食べておいしい」をコンセプトに、様々な人に味わってもらえるようたくさんのパンを用意しています。最高の食材を使った手作りパンをリーズナブルに提供しているのが当店の自慢！是非、お気に入りのパンを見つけにいらしてください。

Information

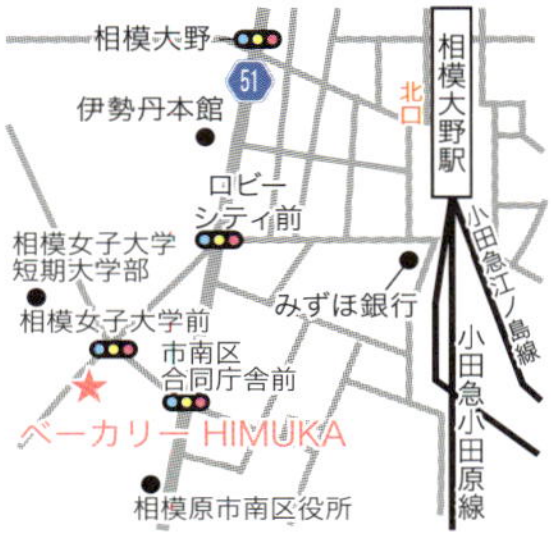

営業時間	7:00〜18:00
休業日	日曜日・祭日・第2・4月曜日
所在地	相模原市南区相模大野5-25-2
電話	042-766-2053
交通	小田急線相模大野駅より徒歩10分
駐車場	あり(3台)

相模大野駅

cafetsumuri

かふぇつむり

明るい木の色がぬくもりとやさしい雰囲気を出している、居心地の良い店内。

木のぬくもりのある アットホームなカフェ

やさしい雰囲気の店内は、素敵な音楽が流れる明るく居心地のいい空間。東京のお店で修行した店長が作る、絶品フレンチトーストが味わえるお店！お昼にはキッズスペースやおむつ替えスペースもあり、親子連れでも気兼ねなくゆっくり過ごすができるので、ママ会などにもおすすめ。

夜は音楽タイムになり、オープンマイクやライブイベントなども開催中。おいしいカフェごはんを食べながら生演奏を聴く、ちょっと贅沢でステキなひとときを気軽に楽しむことができます。

キッズスペース・キッズメニューもある♪

おすすめメニュー

フレンチトースト（プレーン）800円
カフェラテ　500円
タコライス　980円

フレンチトースト（プレーン）

800円
＋150円でバニラアイストッピングもおすすめ。
30種類以上のソフトドリンクから選べるドリンクセットは＋350円。

季節のフレンチトースト

1150円
外はカリッ、中はしっとり自慢のフレンチトースト。プレーンと4種類のトッピングから選べます。季節ごとに変わる期間限定フレンチは写真映え間違いなし！

カフェラテ

500円
スペシャルティコーヒーを挽きたてで。
季節やスタッフによっても変わるラテアートも見どころ！
デカフェも有り。

WELCOME MESSAGE

ぽんさん夫妻

ちょっとゆっくりしたい人、本を読みたい人、おしゃべりしたい人、美味しいものを食べたい人…お客様がそれぞれの時間を楽しめるよう、居心地いいお店づくりを心がけています。cafetsumuriでほっとするひとときをお過ごしください。

Information

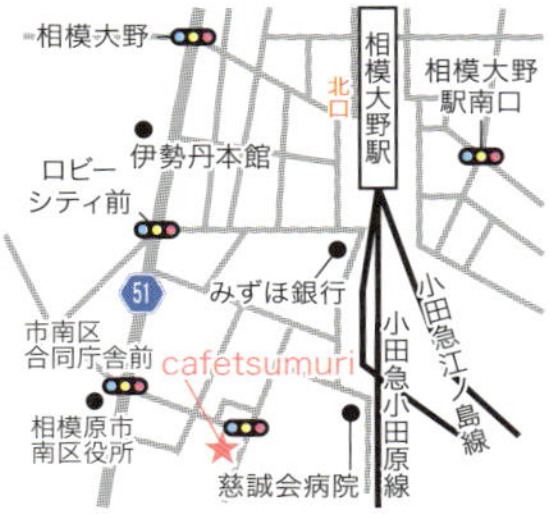

営業時間	café time 11:00～17:00 music time 18:00～21:00
休業日	水曜日
座席案内	テーブル14席・カウンター4席
禁煙席	全席禁煙
所在地	相模原市南区相模大野6-15-30-2
電話	042-711-6953
交通	相模大野駅より徒歩10分
駐車場	なし(周辺にコインパーキングあり)

東林間駅

オルディネカフェ

おるでぃねかふぇ

白を基調とした開放的な店内。昼間は明るい雰囲気の中で、夜は照明を落としたしっとり落ち着いた空間で、楽しい時間を過ごしてパワーチャージ！

おいしいごはんと豊富なお酒が楽しめる

野菜を中心としたヘルシーな食事が楽しめるカフェ＆バー。食材の野菜は、オーナーの実家の畑から取り寄せたものをはじめとして、旬の新鮮なものを使用しています。

ランチタイムはサラダやサンドイッチ、丼もの、シチューなど、種類豊富なメニュー。夜もビールやワインによく合う料理とともに、ＤＪイベントやライブなどのミュージックパーティーも行われています。〝オルディネ・カフェ〟とはフランス語で〝普通のカフェ〟という意味。普段着のまま、気軽にどうぞ。

カウンター席ではスタッフと楽しくおしゃべりも。

おすすめメニュー

ランチメニュー

ハーブチキンサラダ　990円
スープ・パン・デザート付き

ねぎ玉そぼろ丼　880円
豚ロースのショウガ焼き　1,100円
エビとアボカドのピザ　1,100円
上記のメニューにはサラダ・スープ・小鉢2種・デザート付き

たっぷり野菜のパスタバターしょう油

980円
旬の野菜がたっぷり入ったヘルシーなパスタ。あっさり味で男性にも人気!

ゴルゴンゾーラのクリームごはん

890円
ゴルゴンゾーラチーズがたっぷりのドリア風。ランチタイムはプラス200円でドリンク付き。

オルディネ・オムライス

950円
ランチタイムはサラダ・スープ・小鉢2種・デザート付き。プラス200円でドリンクが付けられます。

WELCOME MESSAGE

オーナーの江成啓太さん

50種類以上の多種多様なメニューから選べる楽しさをコンセプトに、私自身が通いたいお店を目指しております。旬の野菜をメインにした体にやさしい料理をお楽しみ下さい。ご来店お待ちしております。

Information

営業時間	ランチ11：00～15：00 (L.O.14：30) ディナー18：00～24：00 (L.O.23：00)
休業日	日曜日
座席案内	カウンター6席・テーブル16席
禁煙席	11：00～15：00は禁煙
所在地	相模原市南区東林間5-4-8-2F
電話	042-745-5070
交通	小田急線東林間駅より徒歩2分
駐車場	なし

東林間駅

cafe+atelier coo

かふぇ　あとりえ　くぅ

店内には子ども向けの絵本がたくさん置いてあります。

日当たりの良い店内で雑貨と美味しいカフェごはん

　入口には店長が仕入れた雑貨や、作家さんによる手作りの雑貨が並んでいます。本棚には店長自ら作った絵本も。内装は手作りで、黒板になっている壁などがあり、とてもかわいらしい雰囲気の中でゆったりとしたひとときが過ごせます。また、トイレにこだわっており、とても広くてオムツ替えシートを設置。お子様連れのお母さんも安心して立ち寄れます。

　自慢のキッシュは毎朝焼いています。夜は完全予約制で、お酒やおつまみなどのメニューが豊富に用意されています。

小さなカウンター席もあるのでお一人様でもお気軽に♪

おすすめメニュー

キッシュランチ　1,100円
カレーランチ　1,000円
自家製シロップジュース　400円
フレンチプレスコーヒー　400円

＊このお店の価格は全て税別表記です

自家製シロップジュース

400円
様々なフルーツを砂糖漬けしたシロップジュース。お酒にも合うのでカクテルにも！

フレンチプレス（深煎りブレンドコーヒー）

400円
4分待ってから入れてください。カップ二杯分あります。

キッシュランチ

1,100円
毎朝焼き上がる手作りキッシュ。毎日違う味が楽しめます。

WELCOME MESSAGE

店長の笠井みゆきさん

ゆったりとした時間、お子様と一緒に気軽に立ち寄れるお店づくりを心がけております。定期的にワークショップを催しておりますのでお気軽にご参加ください。

Information

営業時間	11:00～17:00ディナーは完全予約制
休業日	月曜日
座席案内	カウンター1席 テーブル16席
禁煙席	店内は全席禁煙
所在地	相模原市南区東林間4-44-6
電話	042-705-8469
交通	小田急線東林間駅より徒歩6分
駐車場	あり（2台）

東林間駅

CHIEZO CAFE

ちえぞう　かふぇ

温かさを感じる間接照明が落ち着きます。駅近なので、
仕事帰りに夜カフェを楽しむもよし、デリをテイクアウトするもおすすめ！

こだわりの手作りのデリが人気街の人たちが気軽に立ち寄って集える場所

東林間駅の西口の階段を下りてすぐのところにあるカフェ。店内に入るとショーケースがあり、メニューを選んで先会計をするシステム。ゆっくり食事をした後、レジに並ぶことなくそのままお店を出られるのでストレスフリーです。

ショーケースには美味しそうなデリが並んでいます。テイクアウトも可能なので、お昼のお弁当にもおすすめ。アルコールも用意されており、オールタイム注文出来るので、休日のちょっと贅沢なランチにもどうぞ。

奥はゆったりとしたソファー席。

おすすめメニュー

デリ３品プレート950円
CHIEZOカレー850円
アールグレイパウンドケーキ500円
自家製ジンジャエール480円

CHIEZOカレー

850円
独自の食材を使ったオリジナルカレー。
チキンものっていてボリュームがあります。

デリ三品プレート

950円
ショーケースにおいしそうに並ぶ、店長こだわりのデリの盛り合わせ！
5品は1,210円。

モンシュリ・マシュリ ガトーショコラ

500円/500円
しっとり食感のガトーショコラと、お店オリジナルのドリンク。合わせて注文するのもおすすめ♪

オーナーの冨岡千恵蔵さん

「街のみんなが集まる場所」をコンセプトに、2014年12月にオープンしました。デリ惣菜や自家製のCHIEZOカレーなどをご用意しています。丁寧にハンドドリップで淹れるコーヒーとともに、楽しんで下さい。

Information

営業時間	11：30 ～18:00(L.O.17:30)
休業日	月曜日
座席案内	総席数32席
禁煙席	11：30 ～15：00は全席禁煙 15：00からは分煙
所在地	相模原市南区東林間5-1-5
電話	042-742-1112（予約可）
交通	小田急線東林間駅西口よりすぐ横
駐車場	なし

東林間駅

ロールケーキの店　Hola

ろーるけーきのみせ　おら

小さな店内には、ロールケーキのみが売られています。
一本・ハーフ売りのみですが、軽やかな味わいなので案外いけてしまいます。

ここでしか味わえないふわふわ食感のロールケーキ

「シェ・カツノ」で修行した店主が営むロールケーキ専門店。低温でじっくり焼き上げたスポンジは、絶品！シンプルな見た目ながらも、軽やかな口溶けと産みたての卵の豊かなコクが口の中に広がるここでしか味わえないロールケーキ。

スタンダードなプレーンロールケーキから、たっぷりフルーツを巻き込んだフルーツロールに加え、四季の旬な素材を使った季節限定のものもご用意。是非一度味わってほしい一品です。

デコレーションにも対応しているので、お誕生日などにもどうぞ。

おすすめメニュー

プレーンロールケーキ
1本1,200円　ハーフ700円
チョコロール
1本1,500円　ハーフ800円
イチゴロール
1本1,900円　1,100円

プレーンロール

一本1,200円　ハーフ700円
お店定番の不動のNo.1商品。初めての方にまず食べてほしい一品。

フルーツロール

一本1,900円　ハーフ1,100円
プレーンロールの生地にたっぷりのフルーツを巻き込んだ贅沢なロールケーキ。

ふーちゃんのおやつ

200円
ロールケーキの生地で作ったさくさくで軽い食感のおやつ。ロールケーキと一緒にどうぞ。

WELCOME MESSAGE

お店より

こだわりのロールケーキを販売しているお持ち帰り専門店です。手土産や贈り物にはもちろん、自分へのご褒美にもどうぞ。定期的に食べたくなるおいしさですので、ぜひご来店ください。

Information

営業時間	10:00～18:00(売切れ次第終了)
休業日	木曜日
所在地	相模原市南区上鶴間6-27-5ポップM1F
電話	042-740-7337
交通	小田急線東林間駅より徒歩3分
駐車場	なし

小田急相模原駅

ブランジェリー ヒロ

ぶらんじぇりー ひろ

焼き立てパンがずらりと並びます。陳列台にはその日の気分で作る新作パンも。

町の人々が集まる、手作りパン屋さん

木を基調とした、明るいパン屋さん。小さな店内には、お惣菜パンからスイートパンまでバラエティ豊富なパンが並びます。内装は店主自身で作ったそう。何から何まで手作りのお店です。

パンは材料選びからこだわり、フィリングから自家製。一つ一つ丁寧に作られており、安心安全。食パンは切り置きはせず、注文されてから切っています。厚さの要望にも対応してくれます。店主が考案するオリジナルのパンは、他では食べられない珍しいものばかり!定期的に新作も出るのでそちらも要チェック。

カウンターでコーヒーと一緒にホッと一息

おすすめメニュー

クロワッサン　180円
カレーパン　160円
ちくわパン　200円
パクチーペーストのベーコンと蓮根のフォカッチャ　200円
ハニーブレッド　240円

メイプルあんぱん

240円
クインビーガーデンメープルスイーツコンテストで入賞したパン。
メイプル香るパンの中にはあんこが詰まっています。

食パン

一斤540円
カット売りもしています。人気商品なので売り切れてしまうことも。予約も受けているので事前に予約をするのがおすすめ。

抹茶クリーム・えびすかぼちゃのモンブラン

180円/180円
クリームがたっぷり乗ったスイーツパン。

店長の野浦寛之さん

毎朝焼きたてのパンを焼いています！定番のパンから、変わりダネのパンまで豊富に取り揃えておりますので、ぜひご来店ください。

Information

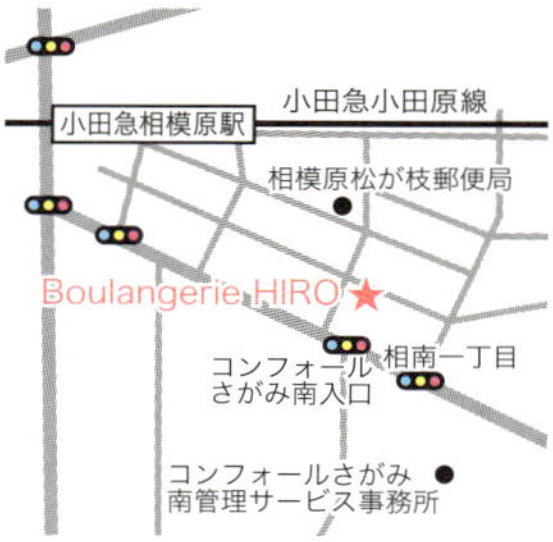

営業時間	10;00～20:00
休業日	日・月曜日とその他不定休
所在地	相模原市南区松が枝町16-10-103
電話	042-766-1375
交通	小田急線小田急相模原駅より徒歩3分
駐車場	なし

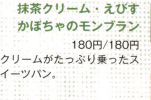

橋本駅

エバーグリーンカフェ

えばーぐりーんかふぇ

ひと席ひと席、ゆったりと取られています。一人でも気軽に立ち寄れる空間です。

50年変わらぬメニューで営むカフェ

橋本駅からすぐ、ミウィの1階にあるカフェ。大きなガラス窓から光が射し、明るい店内は居心地のいい空間。以前は喫茶ヤマとして営んでおり、現在の店舗になってからも変わらぬメニューも。

　オリジナル焙煎豆で淹れるコーヒーや、じっくり煮込んだ手作りカレーなどこだわりのメニューばかり。膨張剤を使用せず玉子の力でふんわり仕上げたシフォンケーキなど、体に優しい食材を使ったメニューもあります。

天気のいい日はテラス席がオススメ

おすすめメニュー

シフォンケーキ　430円
なすとあべ鶏のカレー　単品900円
セット1,050円
フラットホワイト　510円

週替りお楽しみメニュー

840円～
写真はキーマカレー 季節のファームスープセット(1,200円)
メインはキーマカレー・ホットサンド・エッグポークライス・タコライスの中から１週間毎に変わります。

シフォンケーキセット

¥730（ドリンク付き）
毎日手作りのシフォンケーキ。
テイクアウトも出来ます。(380円)

フラットホワイト

510円
エスプレッソにミルクをあわせた飲みやすい一杯。かわいいラテアートがあしらわれています。
＋70円でバニラ・キャラメル・モカのフレーバーなど選べます。

WELCOME MESSAGE

EVERGREEN CAFE

お店より

橋本で純喫茶ヤマとして営業を始め、現在のお店に変わってもナポリタン・ミートソースなどは50年変わらぬ味。新しい味わいの週替りフードメニュー、焼菓子、エスプレッソなど手作りにこだわったメニューをご用意してお待ちしております。

Information

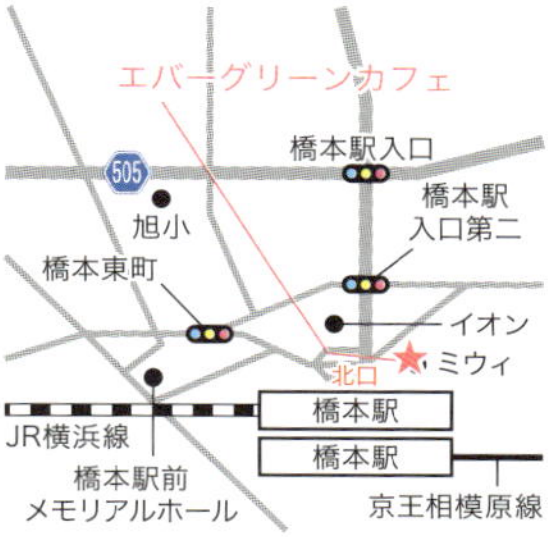

営業時間	10:00～22:00(L.O.21:30) 日曜・祝日10:00～21:30 (L.O.21:00)
休業日	第１・第３月曜日（祝日の場合は営業）
座席案内	カウンター6席・テーブル21席・テラス7席
禁煙席	全席禁煙
所在地	相模原市緑区橋本３－２８－１ ミウィ橋本１F
電話	042-700-7558
交通	JR橋本駅より徒歩2分
駐車場	あり　有料（¥1500以上ご飲食で1時間無料\¥3000で2時間無料）

橋本駅

esCafe/Dining イオン橋本店

えすかふぇだいにんぐ　いおんはしもとてん

イオンのなかにあるので、買い物の合間のひと休みにも。
キッズスペースがあるのでお子様連れのかたにも安心！

スポーツ好きが集まるカフェダイニング

スポーツショップマリオが経営するスポーツカフェ。100インチのスクリーンや50インチのTVモニターがあり、スポーツイベントが開催される日は観戦する人々で賑わいます。ダーツマシンも設置してあるので、ダーツ好きの方は嬉しい！

自家製のデミグラスソースやドレッシングなど料理にもこだわっており、ランチからディナーまでおいしいメニューが取り揃えられています。お酒のメニューも多く、特にクラフトビールが豊富！夜はスポーツバーとしても利用できます。

ダーツマシン完備！ハウスダーツもあるので、ちょっと興味があるというかたもチャレンジできます。

おすすめメニュー

自家製デミグラスソースのとろとろドレッシング　900円

アボカドとネギトロの自家製ドレッシングサラダ　850円

自家製あらびきソーセージ　580円

※このお店の価格は全て税抜価格です。

食事メニューの一例

写真は「自家製デミグラスソースのとろとろオムライス」「特製キーマカレー」「アラカルト盛り合わせ5品」

自家製あらびきソーセージ

580円（一本）
パリッとあつあつなソーセージ。おつまみなどにどうぞ。

クラフトビール各種

700円～
常時4種類を入れ替えでご用意。お気に入りのビールを見つけよう。

WELCOME MESSAGE

店長の藤倉さん

スポーツマリオが運営するカフェダイニング。コーポレートメッセージである「健康で笑顔あふれる」店舗運営を心掛けています。食事は手作り。素材にこだわり、手間ひまかけてお作りしております。

Information

営業時間	ランチ11:30～16:00(L.O15:30) 18:00～22:00(L.O.21:30)　土日祝日11:30～23:00(L.O.22:30)
休業日	なし
座席案内	カウンター12席 テーブル30席
禁煙席	分煙
所在地	相模原市緑区橋本6-2-1 イオン橋本5F
電話	042-703-6696
交通	JR橋本駅より徒歩2分
駐車場	あり(有料)

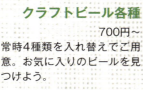

橋本駅

ZEBRA

ぜぶら

開放感溢れる店内は各所にこだわりが垣間見えるおしゃれな空間

こだわり空間と大きなクロワッサン

津久井街道沿いにある一軒家のカフェ。空き工場を改装し作り上げた店内は扉を開けた瞬間に「五感のスイッチが切り替わるような空間」。内装に使われている木は全て秋田杉だそう。店内にはロードバイクなどの自転車を置いておけるスペースもあるので、津久井の自然をサイクリングする途中に立ち寄ることも。

手作りのクロワッサンが人気で、遠方からここのクロワッサンを求めて来る方も少なくありません。店内で焙煎したコーヒーとの相性は抜群。テイクアウトもできるので、手土産やドライブ中の軽食にもおすすめ！

クロワッサンを始めとしたお店で焼いた様々なパンが並びます

おすすめメニュー

クロワッサンプリン　520円
ビーフシチュー　580円
エビタルタルサンドイッチ　740円
本日のスープ　400円

プレーンクロワッサンと本日のコーヒー

380円/400円
お店の看板商品のクロワッサンと、プレスサービスで提供している日替わりのコーヒー。相性抜群です！

チキンサラダサンドイッチ

660円
ヨーグルトソースが使われたカレー風味のさっぱりとした味わいのサンドイッチ

カフェラテ

Short400円　Tall 450円
ラテアートがあしらわれたかわいらしい一杯

WELCOME MESSAGE

スタッフのあさみさん・あきこさん

広々とした空間で、手のひらサイズの大きなクロワッサンとおいしいコーヒーで時間を忘れてゆっくりしていただきたいです。パンやコーヒーはテイクアウトOK! コーヒー豆の販売もしており、こちらも人気です。

Information

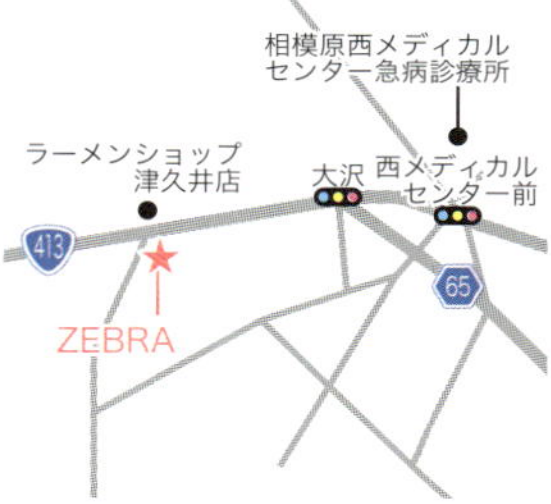

営業時間	平日9:00～17:00 土日祝日9:00～18:00
休業日	なし
座席案内	テーブル56席　テラス21席
禁煙席	テラス席のみ喫煙可
所在地	相模原市緑区中野1890-1
電話	042-780-8600
交通	JR・京王線橋本駅北口 より三ヶ木行　祥泉寺下車すぐ
駐車場	あり(20台)

相模原駅

フェアレディーカフェ

ふぇあれでぃーかふぇ

カウンター席のみですが、温かな雰囲気のお店です。

化粧品店に併設された昔ながらの喫茶店

相模原駅から少し歩いた、西門通りにあるカフェ。化粧品店「ユア資生堂フェアレディー」の隣でご主人が営んでいます。店内はカウンターのみの小さいお店ですが、アットホームで落ち着いた雰囲気が魅力です。一杯ずつ丁寧に淹れたコーヒーを味わうことができ、コーヒーベースのカクテルも提供しています。

　毎朝お店で焼いたパンもあり、月替りで新作が店頭に並びます。テイクアウト、イートイン、ともにOK！ティータイムの帰りに手土産として持ち帰るのもいいかも。店内の一角では、バラエティー豊富な雑貨の販売をしています。

かわいいものや、ユニークなものなど様々な雑貨が並びます。

おすすめメニュー

ブレンド　420円
あつあつクリーミートースト
（コーヒー付）820円
チーズトースト　170円

彩り野菜のキーマカレー

700円
(ドリンクセット1,000円)
野菜たっぷりの手作りカレー。
彩り鮮やかな野菜たちがきれいに盛り付けられています。
食欲そそる一品です。

パン各種

スイートパンからお惣菜パンまで揃います。月替りで新作を作っています。

マザグラン

700円
ホッと温まる、コーヒーと赤ワインのカクテル。シナモンスティックがアクセントになっています。
他にもコーヒーカクテルは4種類。

原田さん

全席カウンターの落ち着いた店内で、焼き立てパンと挽き立てコーヒーをどうぞ! 併設ショップには、女性のワクワクが止まらない素敵なものが揃ってます。ぜひお買い物も楽しんで下さいね。

Information

営業時間	10:00～17:30
休業日	木・日曜日
座席案内	カウンター9席
禁煙席	全席禁煙
所在地	相模原市中央区相模原6-17-9
電話	042-752-7715
交通	JR相模原駅より徒歩10分
駐車場	あり(2台)(周辺にコインパーキングもあり)

相模原駅

CAFE&BAR ひとこぶらくだ

かふぇあんどばーひとこぶらくだ

日が射し込む明るい店内。春には桜並木が望めます。

地元を愛する店主が営むアットホーム空間

店内は大きな窓がある明るい店内、外にはテラス席が広がる開放感溢れるカフェ。店内・テラスともにペットOK！テラスでは夏になるとビアガーデンが実施されます。

メニューは、ノルウェーサーモンや、じゃがいも、ナスなどを使った北欧風の料理を中心に、定番のカフェごはん・スイーツまで楽しめる充実したラインナップとなっております。アルコールメニューもあるので、夜にはお酒の場としても利用できます。

広々としたテラスは、天気の良い日におすすめ!

おすすめメニュー

昔ながらのナポリタン　700円
ノルウェーサーモンのムニエル
単品1,500円
トマト煮ミートボール　単品700円

北欧ミートボール

単品700円(プラス300円でワンドリンク・サラダ食べ放題のセット)
一つ一つ丁寧に作ったミートボールに、ホワイトソースをかけた人気メニュー。コケモモジャムがアクセントに。

チキンオバジン

単品900円(プラス300円でワンドリンク・サラダ食べ放題のセット)
コンソメライスに、アンチョビが香るホワイトソースがかかった1日数食の限定メニュー。ごろっと乗ったチキンとナスが絶品。

ベリーベリーパンケーキ

480円
ラズベリーやストロベリーなど、様々なベリーがトッピングされたパンケーキ。ベリーソースをメイプルシロップに変更可能です

店長の久保田裕樹さん

お客様に満足いただける居心地の良い空間作りにこだわっています。店内ではイベントやワークショップもやっており、「つねに何かやってるお店」を目指しております。ワークショップ、その他イベントの参加も募集中です♪

Information

営業時間	11:00～22:00(L.O.21:30) ランチ11:00～17:00 ディナー17:00～22:00
休業日	月曜日(祝日の場合翌火曜日)
座席案内	テーブル30席・カウンター7席・テラス120席
禁煙席	11:00～17:00はテラス席以外禁煙
所在地	相模原市中央区千代田2-2-15 メイプル1990 2F
電話	042-751-3490
交通	上溝駅より神奈中バス相模原駅行で約2分高校前下車徒歩1分
駐車場	あり(20台)

相模原駅

LOFT507

ろふとごーまるなな

やわらかく照らされる店内は、落ち着いた雰囲気。
天井にはイルミネーションが装飾されています。

隠れ家のような空間で おいしいチーズ料理

相模原駅からさがみ夢大通りを歩くとあるお店。店内は間接照明で照らされたまるで隠れ家のような空間。チーズを使った料理が豊富で、チーズ好きの方にはたまらないラインナップ！スキレットを使ったアツアツ料理も人気です。

アルコールメニューも多く、飲み会などにも利用できます。様々なコースメニューもご用意。それぞれのシーンに合わせたコースを選ぼう！カウンター席もあるので、お一人様でも気軽に利用できます。

ソファー席はゆったりくつろげます。

おすすめメニュー

カフェドリンク　290円～
チーズフォンデュ　980円
海鮮アヒージョ　680円
コース　2500円～

4種のチーズハンバーグ

880円 （ライス付）
ランチ限定メニュー。熱々の鉄板にのったハンバーグにとろ～りチーズが贅沢にも4種類も！

チーズ豚カルビ

980円
豚カルビにとろとろチーズを付けて食べるお店人気No1のメニュー！

スキレットスモア（チョコマシュマロ）

590円
ふわふわのマシュマロをアツアツのスキレットに乗せ、とろとろにした甘くておいしいスイーツ。

お店より

屋根裏のような空間の中で、チーズを中心とした料理やお酒を大きめのソファーで寛ぎながら楽しんでいただけます。

Information

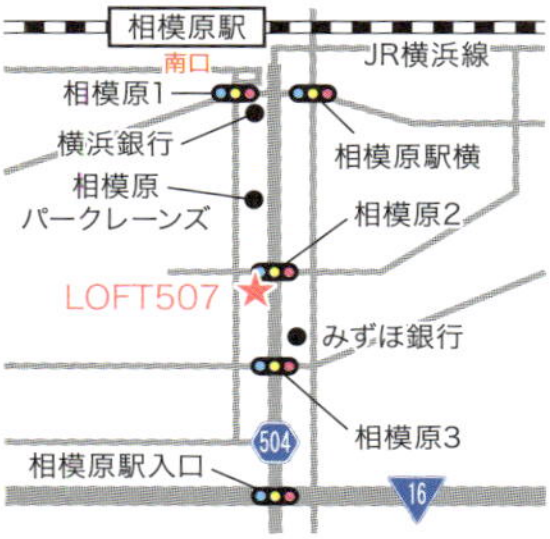

営業時間	11:00～14:30（水・土休み）(L.O.14:00)　ディナー18:00～23:00(L.O.22:00)
休業日	日曜日・祝日
座席案内	カウンター2席・テーブル21席
禁煙席	テラス席以外全席禁煙
所在地	相模原市中央区相模原2-13-3 アサダヤビル2F
電話	042-704-6910
交通	JR相模原駅より徒歩5分
駐車場	なし

相模原駅

珈琲館 樹里

こーひーかん じゅり

2階には広々としたスペースがあり、大人数での貸し切りもOK。
L字型になっているので奥のテーブルだけ貸し切ることもできます。

季節ごとに替わる9カ国の珈琲豆で淹れる本格珈琲が楽しめる

幅広い年齢層に親しまれているログハウスの珈琲店。雰囲気はまさに昔ながらの「喫茶店」。世界中の珈琲豆生産国から選び出した40種の豆を、それぞれに適した4種の淹れ方で淹れた本格コーヒーが楽しめます。

さまざまブレンド珈琲はもちろん、バリエーションコーヒーにも注目！コーヒーによく合う自家製ケーキも6種類。テイクアウトもでき、予約をすればバースデーケーキなども作ってもらえます。お得なモーニングサービスも人気です。

1階にはピアノも置かれ、年に数回有料コンサートを開催

おすすめメニュー

オールドブレンド珈琲　500円
コクと苦みが楽しめる樹里だけのオリジナル珈琲。

あずきトースト　300円
ワッフル　300円
珈琲ゼリー　500円
焼きサンドイッチ　450円

ケーキセット

自家製ケーキは各種300円。飲み物とセットで30円引きになります。
写真は樹里だけのオリジナル「オールドブレンド」と「マロンタルト」。

マサラティー530円

スパイシーでマイルドなミルクティーです。丹精を込めた一品！

モーニングセット

開店～11時までは、お好きな飲み物にプラス50円～100円でトーストやゆで卵、サラダ付きに。

WELCOME MESSAGE

オーナーの小柳忠良さん

隠れ家的な珈琲専門店です。「おいしい」を追い求めて、今年で34年目を迎えました。コーヒーメニューは30種類以上。毎月1、2日は珈琲豆の20% offセールを開催中です。お気軽にどうぞ！

Information

営業時間	8：30 ～20：00（2階は12：00 ～）（1月～3月は～21:00）
休業日	なし
座席案内	カウンター6席 テーブル80席
禁煙席	12:00 ～18:00は1階全席禁煙
所在地	相模原市中央区相模原2-8-3
電話	042-759-2267
交通	JR相模原駅南口より徒歩5分
駐車場	有（12台）無料

相模原駅

Le Coeur

る・くーる

ガーデン、テラス席だけでなく優しい雰囲気の店内もおすすめ。

ナチュラルな空間で、ゆったりとしたひとときを

春には白い花を咲かせるバラのアーチをくぐり、季節の草花が植えられている小道を通り抜けると見える赤いドアがカフェの入口。開放的なガーデン席はもちろん、屋根のあるテラス席もおすすめ。お庭の四季を感じながら、ゆっくりと過ごすことができます。お料理も、季節を感じられる、旬な野菜を使ったメニューをご提供。一年を通して楽しむことができます。

店内には、毎日の暮らしがちょっと楽しくなるような雑貨もいっぱい！また、女性に大人気の、気軽に参加できるワークショップも随時開催中！

ガーデン席はお庭の植物たちに
囲まれて開放的な雰囲気!

おすすめメニュー

おまかせプレート1000円
カレープレート1000円
ドリンク類　300円～
本日のケーキ（2種類ほど）350円

よくばりケーキプレート

350円
コーヒーor紅茶セットで
600円
ケーキ2～3種盛り合わせ。
いろいろ食べたい！女性に大人気。

おまかせプレート

スープ、コーヒーor紅茶のミニドリンク付 1000円
季節のお野菜たっぷり。ほっとする優しい味付け。

カレープレート

1000円
色とりどりの野菜をふんだんに使った手作りのカレー

WELCOME MESSAGE

店長　今野君子さん

狭い店内ですが、来ていただいたお客様にほっとしてもらえる様な空間づくりをしています。席数に限りがあるので、事前にご予約いただけると助かります。皆様のご来店、お待ちしています。

Information

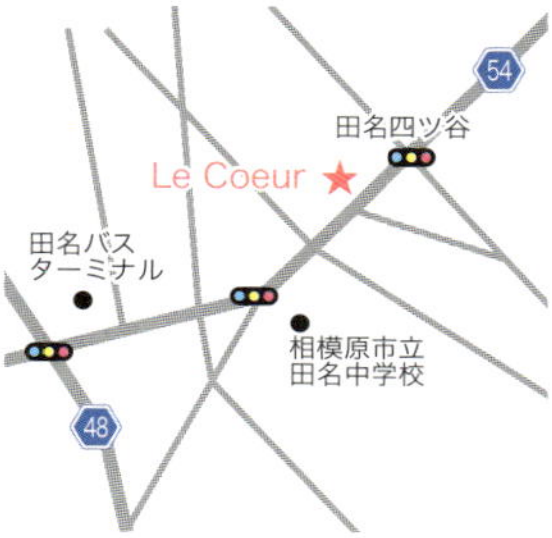

営業時間	11:00～17:00(ランチL.O.13:30)
休業日	日・月・火・水・第2土・祝(出店等により不定休あり)
座席案内	テーブル10席 テラス・ガーデン6席
禁煙席	全席禁煙
所在地	相模原市中央区田名4450 - 2
電話	042-760 - 4546
交通	JR相模原駅より神奈中交通バス田名バスターミナル行きで約25分　四ッ谷下車徒歩1分
駐車場	あり(6台)無料

相模原駅

カフェダイニング Ohana

かふぇだいにんぐ　おはな

テーブル席のほかカウンター席も充実しているので、お一人様でも気軽に食事やティータイムを過ごすことができます。

ハワイアン料理が味わえるアットホームなカフェ

相模原駅からすぐのところにあるハワイアンカフェ。母娘で営んでいることもあり、お店はアットホームな雰囲気。店内の各所にはハワイを思わせる絵や雑貨があしらわれています。

「グレービーソース」を使った本格的なロコモコや、バンズとパテにこだわったハンバーガーなど、ハワイアン料理も味わえます。パンケーキなどのスイーツも豊富。生ビールや南国カクテルなどもあり、女子会にもピッタリ！料理のボリュームもあるので男性でも充分満足できます。

カウンター席の一角には、かわいい手作りアクセサリーが販売されています

おすすめメニュー

バーガー類はテイクアウトできます。
(ポテトなし)

こだわりハンバーガー各種

クラシックバーガー　519円
クラシックチーズバーガー　610円
オハナスペシャルバーガー　686円

※このお店の価格は全て税別表記です

ジューシーな
ロコモコ

1,180円
こだわりのビーフハンバーグに絶品グレービーソースととろける卵が合わさり、ここでしか味わえない美味しさに。

体に優しい
ベーコンチーズバーガー

778円(ポテト付き)
体にいいとされる、全粒粉パンを使用。手作りでジューシーなハンバーグと素材の旨みがギュッと詰まった逸品。

ミックスベリーベリーパンケーキ

890円
甘さ控えめのパンケーキの上にはイチゴミルクアイス&とろとろクリーム。こだわりのイチゴジャムをたっぷりかけてお口の中が幸せいっぱいになる絶品スイーツ。

WELCOME MESSAGE

オーナーの田中仁美さん

「O'hana」はハワイ語で"家族"を表します。お客様にとってお家に帰ったようなホッとできる場所になれば嬉しいです。ちょっぴりハワイなくつろぎ空間で和やかな時間をお楽しみください。

Information

営業時間	11:00～15:00 17:00～21:00(L.O.20:00)(予約時相談可)
休業日	水曜日
座席案内	座席案内カウンター5席・テーブル20席
禁煙席	全席禁煙
所在地	相模原市中央区4-6-6
電話	042-711-7225
交通	JR相模原駅より徒歩6分
駐車場	なし(周辺にコインパーキングあり)

6889cafe

ろくはちはちきゅうかふぇ

南町田駅

心とカラダにご褒美を　こだわり素材のカフェごはん

夜はバーとして、アルコールメニューも豊富に用意されています。
店内では、エチオピアコーヒーや無農薬野菜の販売も行っています。

野菜と玄米を使ったメニューで体に優しく、お腹も満足できるお店！

木・石・鉄を利用したエスニック風の店内は、世界各国から集めた調度品や雑貨が素敵にディスプレイされ、BGMにもこだわったゆったりとくつろげる空間。「国境も人種も越えて誰でも楽しめる食事」をコンセプトに、野菜や玄米を中心とし、カラダにもココロにもやさしく健康的で満足できる「菜食料理」が楽しめます。

食べることでカラダもココロも健康になるメニューがそろっているので、お子様にも安心。訪れる人たちを、カラダの内側から幸せにしてくれるお店です。

別棟のガーデンラウンジはわんちゃんもOK！

おすすめメニュー

チャパティロール780円
チャパティ(インドの無発酵パン)でおすすめの具材を包んだブリトーのようなスタイル。

6889オリジナルカレー1,280円
南アジアのカレーを日本人向けにアレンジ。

キッズプレート780円
＊このお店の価格は全て税別表記です

カフェセレクト

1,280円
日替わりのデリ（お惣菜）5種類と玄米ごはんのプレート。14時までのランチタイムでは、スープ、サラダ、ドリンク、デザートがついて1,800円

ベジタコライス

1,280円
野菜とひき肉がたっぷり！見た目も味も楽しめる、大満足の一品。

プレミアム チョコレートパフェ

1,280円
チョコレートがたっぷりかかったパフェ。体に優しいランチのあとのちょっと贅沢なデザートにどうぞ♪

WELCOME MESSAGE

original vege 6889cafe

スタッフ一同

健康的でポジティブになれる、気持ちを込めてイチから作った食べ物「REALFOOD」をたくさんのお客様に食べていただければと思っています。6889cafeは、カラダとココロを内側からHappyにします！

Information

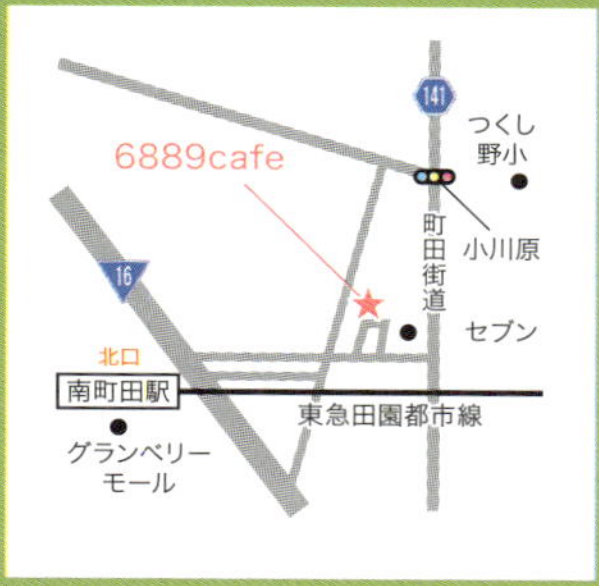

営業時間	11:30〜21:00(L.O.20:30)
休業日	月曜（月曜が祝日の場合翌火曜日）
座席案内	テラス18席・カウンター5席 テーブル28席
禁煙席	分煙
所在地	町田市南町田5-4-10 ALIVE1F
電話	042-850-6889
交通	東急田園都市線南町田駅の北口より徒歩5分
駐車場	有(5台)無料

自然派カフェ

モコのキッチン

もこのきっちん

相模大野駅

大きな窓から光が指す明るい店内で、体に嬉しいヘルシーごはんを味わう。

健康的で体に優しい食事ができるカフェ

相模大野駅から少しだけ歩いたところにあるカフェ。普段なかなか摂れない栄養を摂れるように考えられたメニューを提供しています。季節の野菜を使った定食や、毎日変わるおかずがついてくるカレーは、見た目にも鮮やかな季節の素材をふんだんに使用。

お米と玄米オリジナルで配合したごはんをはじめ、素材の味を大切にしたシンプルな味付けで体が喜ぶヘルシーごはんが味わえます。お酒や、お酒のお供にちょうどいいメニューも取り揃えているので、夜にはちょい飲みをする場としてもおすすめ!

雑貨品の販売もしています

おすすめメニュー

日替わりランチ定食　900円
手作りデザート　380円
日替わりカレー　900円

日替わりカレー

900円
カレーの中身は日替わり！いつ食べても飽きない美味しさ。

夜限定　3種盛り

580円
お酒のおつまみになる、旬の食材を使った小鉢3品。毎日違ったラインナップで提供しています。5種盛り(880円)もあり。

日替わりランチ定食

900円
メイン・小鉢3品・味噌汁・ごはんのセット。メインだけでなく小鉢も日替わりとなっています。

Information

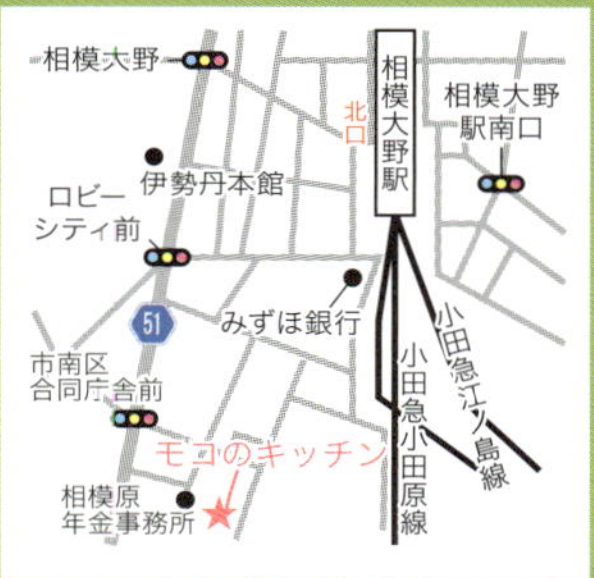

営業時間	火-木11:00～18:00　金11:00～15:00　17:00～21:30 土16:00～21:30(L.O.は30分前)
休業日	日曜日・月曜日・祝日
座席案内	テーブル4卓・テラス1卓 カウンター8席
禁煙席	席禁煙
所在地	相模原市南区相模大野6-5-7
電話	042-705-2421
交通	小田急線相模大野駅より徒歩8分
駐車場	なし（近くにコインパーキングあり）

WELCOME MESSAGE

スタッフ一同

毎日食べても飽きない日替わりの家庭料理とカレーは旬の食材と新鮮な野菜を使うことにこだわっています。おひとり様大歓迎です！

自然派カフェ

カフェ こたつ《かふぇ こたつ》

橋本駅

アンティーク調の家具や雑貨がディスプレイされた木の温もりあふれる癒し空間。

無農薬玄米のヘルシーランチが人気

玄米・麦とろとお酒をテーマにした健康的な日常食を提供してくれるカフェ。外食でも体に優しい家庭的な食事が出来る場でありたいと、昔ながらの素朴でやさしい手づくり料理と提供しています。

店内はところどころにアンティークな小物が置かれていて、どこか懐かしい、ほっと和む雰囲気。無農薬のお米をはじめ、国産クラフトビール、日本ワイン・梅酒・日本酒など、手間ひまかけて作られた、体にやさしいものを厳選。夜は種類豊富なお酒とともに食事が楽しめます。

窓際のカウンター席はカップルにも人気です。

おすすめメニュー

ランチメニュー　ALL1,000円
玄米チャーハンセット
カレーセット
スイーツ各種（ディナー限定）
ALL550円
とろける豆腐のはちみつトースト
酒粕の自家製チーズケーキ

週替わりとろろ定食

1,000円
ごはん（麦飯 or 玄米）・おかず（週替りメニューから１品）・みそ汁（日替わり）・とろろ・小鉢・つけもの

豊富なメニュー

種類豊富な料理とお酒が用意され、女子会やお誕生日会など、パーティーにもおすすめ！

とりのからあげ すりおろしりんごソース

680円
こたつの定番のおつまみ。りんごでサッパリと。

WELCOME MESSAGE

店長の小林さん
スタッフの西川さん

ランチをはじめとして、種類豊富な料理とお酒でゆっくりとした時間をお過ごし下さい。いつものようにふらっと立ち寄る時も、特別な記念日にもスタッフ一同、変わらない笑顔でお待ちしております。

Information

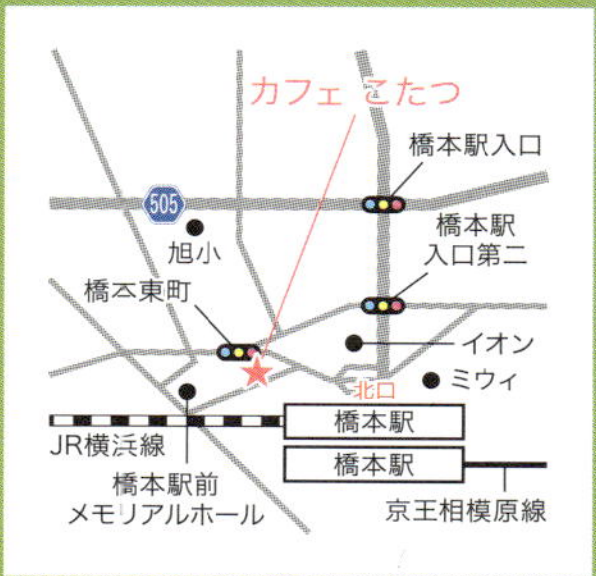

営業時間	ランチ11：00～15：00 (L.O.14：00)　ディナー17：30～23：30 (L.O.22：30)
休業日	月曜日
座席案内	カウンター14席・テーブル24席
禁煙席	全席禁煙
所在地	相模原市緑区橋本6-19-5 ルート橋本ビル3F
電話	042-810-8538
交通	JR・京王橋本駅北口より徒歩3分
駐車場	なし

矢部駅

フクロウ座

ふくろうざ

内装・インテリアにこだわり尽くした店内は、ゆったりと落ち着いた時間を過ごせる。

どこかホッと癒される、居心地のいいくつろぎ空間

相模原の千代田から心機一転、矢部駅近くに移転。2階建てになっており、1階はカウンター席、2階は広々としたテーブル席。居心地がよくくつろいで過ごすことのできる空間となっています。手書きのメニューや、ところどころに飾られたお花や小物にお店の温かみを感る店内。

料理はもちろん、ドレッシングやデザートなども手作りにこだわっています。お酒も豊富で、お酒を飲みながらカウンター席で店員さんと会話をはずませるお客さんも。1階の奥には作家さんの作った雑貨が並ぶ「モノツクリ店」もあります。

カウンター席はお一人様のお客様に好評です。

おすすめメニュー

手作りデザート　432円～
本日の珈琲　540円
手作りチーズ豆腐　648円
定番グリーンサラダ　540円

Bランチ　茄子と小海老のトマトクリームパスタ

1,026円
(平日のランチタイムのみ)
サラダと本日のスープつき
ランチはこのメニューを含め、A～Eの5種類ご用意！

F.O.Bフクロウ座オリジナルブレンド珈琲とレアチーズケーキ

486円/432円
豆からこだわったこだわりのコーヒーと、コーヒーによく合うチーズケーキ

モノツクリ店

作家さん手作りの雑貨などが並ぶ、小さな雑貨店。お店の奥でひっそりと営んでいます。

WELCOME MESSAGE

店長のイマダ ミホさん

日々の中でほっこりしたいなと思ったら、フクロウ座に来てください。当店にはやわらかく穏やかな時間が流れています。木漏れ日の中で木の幹に体を預けて昼寝をするような、そんな感じ。くつろぎの時間をお過ごしください。

Information

営業時間	11:00～22:00(L.O.21:00) 金土のみ～24:00(L.O.23:00) ランチ11:00～14:30(L.O.)
休業日	木曜日
座席案内	カウンター8席・テーブル8席
禁煙席	全席禁煙
所在地	相模原市中央区矢部3-1-8
電話	042-711-7377
交通	JR矢部駅より徒歩3分
駐車場	なし(周辺にコインパーキングあり)

淵野辺駅

パティスリースーリール

ぱてぃすりーすーりーる

こじんまりとした店内には甘い香りがただよい、自然と笑みがこぼれる。

地域に根ざしたアットホームなケーキ店

淵野辺駅から少し歩いたところにある、小さなケーキ屋さん。小さなお店ですが、地元の食材を取り入れるなど、アットホームなお店として地元の人々に愛されています。

店内には旬の素材を使った季節を感じられるケーキや、焼き菓子が並んでいます。オーダーケーキの注文も受けており、お誕生日やお祝い事の際に利用してみては。バースデーケーキをご注文された方にはもれなく、お店のトレードマークである「にっこりプチシュー」がついてくる嬉しいサービスも。

焼き菓子も豊富。ギフトなどにもおすすめです！

おすすめメニュー

スペシャルふわふわロール　370円
モンブラン　380円
ガトーショコラ　340円
スーリールシュー　180円

サントノーレにっこりプチシューショートケーキ

400円/340円

クリームたっぷりのプチシューがたくさん乗ったサントノーレと、お店のトレードマークのにっこりプチシューが乗ったショートケーキ。どちらもお店の定番商品。

焼きドーナツ

各160円

(プレーン・シナモン・抹茶・チョコetc.)

ふんわり、しっとり、もちもち食感の焼きドーナツ。お好きな味を選んで、ギフトラッピングにもしてくれます。

デコレーションケーキ

2,000円～

似顔絵ケーキ・写真ケーキなどの特注ケーキにも対応しています。特別な日にはとっておきのケーキを。

WELCOME MESSAGE

オーナーシェフの
阿部正美さん

「スーリール」とはフランス語で「微笑む」という意味。お客様がケーキを見たとき、食べた時にニッコリ笑顔になっていただけたら…という想いを込めて日々お菓子作りに励んでおります。

Information

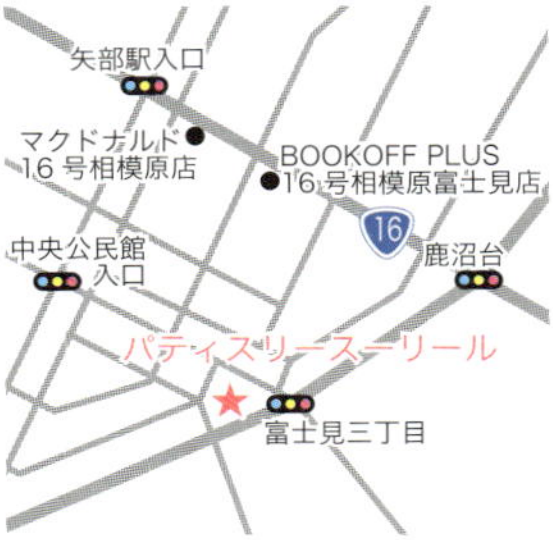

営業時間	11:00～19:00
休業日	水曜日(月に1回火曜日休みあり)
所在地	相模原市中央区富士見4-11-11
電話	042-810-7755
交通	JR淵野辺駅より徒歩15分
駐車場	あり(2台)

矢部駅

セ・ラ・セゾン！相模原本店

せ・ら・せぞん！さがみはらほんてん

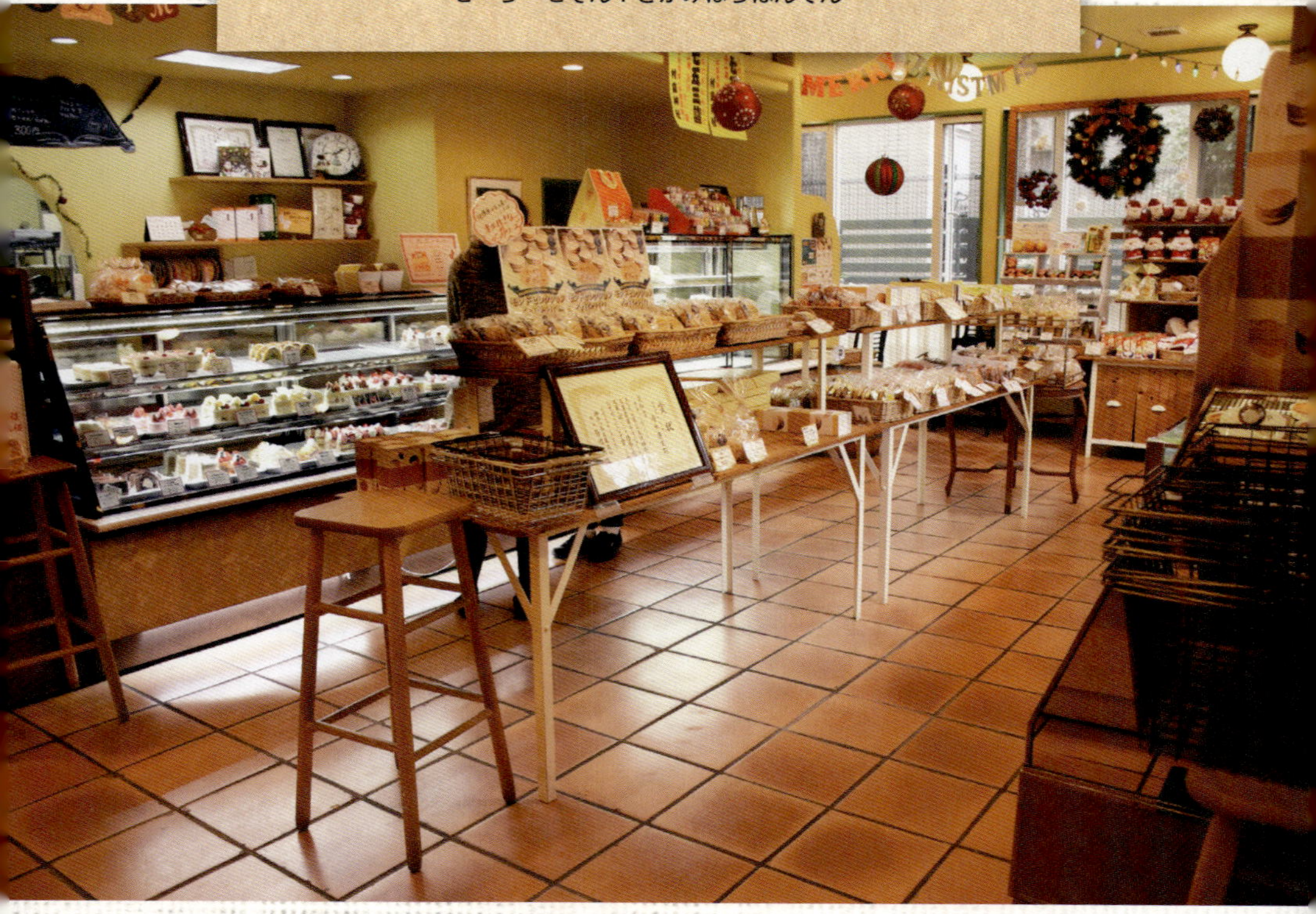

ショーケースの中の生菓子を始め、焼き菓子も豊富。所狭しと陳列されています。

地域に密着した、安心安全のケーキ

店名である「セ・ラ・セゾン！」とは「今が旬！」という意味。旬な素材を使ったケーキが並ぶお店です。顔の見える農家から仕入れた自然農法、厳農薬、エコ農法の果実、地元の産品を使った安心で安全なお菓子を作っています。

誰もが笑顔になるお菓子で、地域に貢献し、そのお菓子で食べるひとみんなを幸せにしたい。という思いでスタッフ一丸となり菓子作りに励んでいるそう。その思いがあふれるすてきなお菓子がショーケースの中に並んでいます。

定番のケーキに加え、季節のフルーツを使った旬なケーキも。

おすすめメニュー

いちごのショートケーキ　460円
ポンポンム　420円
ガトーショコラ　420円
さがみはらのたまご　200円

※このお店の価格は全て税抜き価格です。

トライフル

450円
様々なフルーツと、カスタードをしなやかなスポンジで巻いたまるでフルーツサラダのようなケーキ

モンブラン/苺のナポレオン

550円/600円
サクサクのパイにカスタードクリームをサンドした味も食感も楽しめるナポレオンと、甘く煮た九州産和栗がまること入ったモンブラン

津久井きなこのダックワーズ

5個入り1,150円　10個入り2,250円
相模原産の津久井在来大豆のきなこを使った地元密着商品。おみやげにもオススメ。

WELCOME MESSAGE

お店より

「セ・ラ・セゾン！」とは「今が旬！」という意味。旬なフルーツや、生産者の思いが込められた素材を使って作りたてのお菓子をお届けしたいという思いを店名に込めました。食べる方皆様が笑顔に、幸せになって頂けたらと思います。

Information

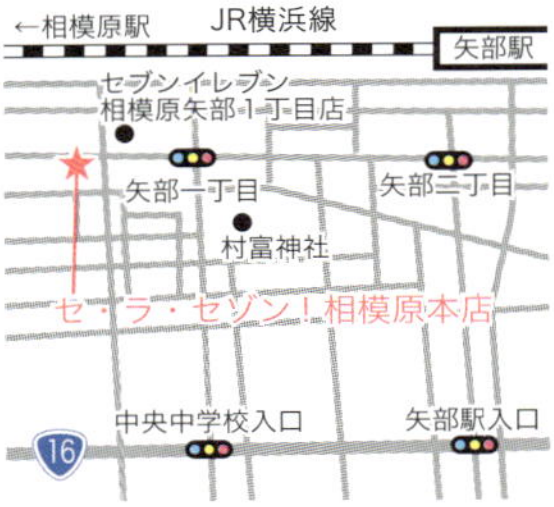

営業時間	10：00～19:00(12～3月はHP・店頭にて別途お知らせ)
休業日	月・火曜日(祝日の場合営業)
所在地	相模原市中央区矢部1-14-8
電話	042-769-7355
交通	JR矢部駅より徒歩8分
駐車場	あり

淵野辺駅

長峰製茶（株）町田根岸店

ながみねせいちゃ　まちだねぎしてん

お茶の香り漂う広々とした店内。
イートインだけでなくお持ち帰りできるお菓子の販売もしています。

お茶の専門店が作る本格抹茶スイーツ

お茶の販売店に併設したカフェ。静岡に自社の製茶工場を構え、常に新鮮なお茶の葉が入荷されており、カフェスペースではおいしいお茶とお茶を使った抹茶スイーツなどが豊富に取り揃えられています

　ロールケーキやシュークリーム、プリンなどはテイクアウトもできるのでお茶の葉と共に手土産にも。隣の売り場には、日本茶や紅茶、健康茶などの他に、急須などの陶器や雑貨、お茶請けにぴったりの季節の和三盆・おかきなども取り揃えられています。カフェに立ち寄る際は店内も一周してみては。

店内では日本茶を中心に様々なお茶や急須、陶器などを販売しています。

おすすめメニュー

ロールセット　590円
アイスぜんざい　400円～
抹茶白玉ぜんざい　470円～
各メニューオトクなセットあり

お茶専門店のふわふわかき氷(夏季限定)

600円

写真は「濃抹茶氷」氷を薄く削った口溶けの良いかき氷。静岡産抹茶をたっぷり使ったオリジナルのシロップをかけた一品。抹茶の他にも数量限定で和紅茶、ほうじ茶もご用意。

抹茶ロールと日本茶のセット

590円

生地とクリームに静岡産抹茶をたっぷり使ったロールケーキと日本茶の相性ぴったりのセット。

ムセ抹茶ソフト

350円

名前の通り、抹茶パウダーがソフトの表面からコーンの中まで“ムセる”くらいたっぷりかかったソフトクリーム

店長の加納喜代美さん

おかげさまで当店は今年で開店20周年を迎えました。これからも日本茶やスイーツを通じてお客様の心を癒やし、楽しんでいただけるお店を目指していきます。お一人様でも気軽に入れるお店ですので、是非ご来店ください。

Information

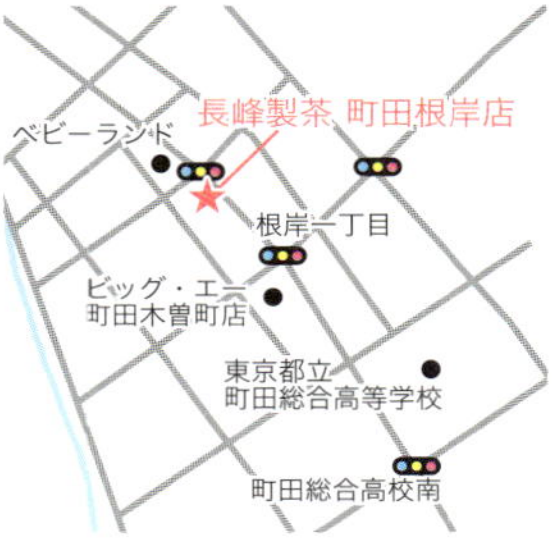

営業時間	10:00～19:00（L.O.18:30）（三が日のみ9:00～18:00）
休業日	年中無休
座席案内	テーブル20席
禁煙席	全席禁煙
所在地	町田市根岸1-13-19
電話	0120-18-4714
交通	淵野辺駅北口より神奈中バス「町田バスセンター行」で「淡路島公園入口」下車すぐ
駐車場	あり(13台)

淵野辺駅

Cafe Lied

かふぇ　りーと

趣向を凝らしたアートとアットホームな雰囲気に癒やされる。

地産地消、地元密着のカフェ

淵野辺駅から歩いてすぐのところにあるカフェ。店内の壁には手書きのチョークアートがきれいに描かれています。コーヒーは注文されてから一杯ずつ丁寧にドリップ。食事メニューやスイーツも素材にこだわった手作りのものばかり。コーヒー専門店Hill、s caboさんから仕入れたコーヒーや、藤野ベーグルなど、地元のお店のものもメニューに取り込んだ、地域に根ざしたお店です。

　チョークアートレッスンなどのワークショップや、音楽教室などを開催しています。貸しスペースとしても利用できます。

かわいい手描きのチョークアートが店内を彩ります。

おすすめメニュー

ポケットサンド　680円
ハンバーグセット　750円
(+250円でドリンク、+510円でドリンク・ケーキのセット)

しょうが焼きセット　750円
(+250円でドリンク、+510円でドリンク・ケーキのセット)

モーニング

540円～
ベーカリー「ランジュ・コション」のこだわりの食パンのトーストと目玉焼き、サラダ、ベーコンのモーニングプレート

ベーグルスペシャルセット

900円
津久井産大豆おからをつかった藤野ベーグルに、サラダやスイーツが付いたボリューミーなセット

ケーキセット

600円
写真はシフォンケーキ
ドリンク付きのセット。シフォンケーキ、チーズケーキの二種から選べます。シフォンケーキの味は週替り。

WELCOME MESSAGE

根間初子さん・宮城美樹さん

シフォンケーキは無農薬の米粉を取り寄せて焼いております、ハーブティーや町田焙煎珈琲Hill`s Caboさんの珈琲、和紅茶に合うようにしあげております、ランチセットやケーキセットなどリーズナブルなお値段なので女性の方に人気です。

Information

営業時間	8:30～17:30
休業日	土曜日・日曜日
座席案内	テーブル5席
禁煙席	全席禁煙
所在地	相模原市中央区淵野辺4-1-20
電話	042-759-1887
交通	JR淵野辺駅より徒歩4分
駐車場	なし(周辺にコインパーキングあり)

淵野辺駅

古本屋カフェ sunny day ring

ふるほんやかふぇ　さにーでいりんぐ

木を基調とした明るく落ち着いた雰囲気の店内

本に囲まれてすごすひととき

淵野辺駅からほど近いところにあるブックカフェ。木目を活かした手作り感の溢れる店内にはところせましと並ぶ本棚には多種多様の本が並びます。本を読むのが好きという方にはとってもおすすめなお店。ホッと安らぐ空間で、お気に入りの本を楽しむことができます。

食事メニューや、デザートメニューも豊富で、本を読みながらゆったりと過ごす事ができます。古本屋さんですので、本の購入はもちろん、買い取りも行っています。コーヒーを飲みながらお気に入りの一冊を見つけよう！

幅広いジャンルの本が並びます。

おすすめメニュー

週替り定食　700円
タコライス　500円
ハニーカモミールラテ　450円

フレンチトースト

400円
オーブンで焼き上げたフワッフワのフレンチトーストです。トッピングにアイスをどうぞ。

アボカドスパム

500円
アボカドとスパムを賽の目状にカットして生姜醤油で炒め、丼の上に目玉焼きと共に乗せ、最後マヨネーズをかけました。中毒性が高いです。

豆乳黒みつきな粉

400円
エスプレッソマシンでスチームして混ぜて泡立てたドリンク。カフェインの取れない妊婦さんでも美味しくいただけます。

WELCOME MESSAGE

店長の岩崎さん

淵野辺駅から麻布大学方面に徒歩5分のところで古本屋カフェを営んでおります。古本の販売買取、カフェのみ、のぞくだけでもご利用いただけますのでお気軽にお立ち寄りください。

Information

営業時間	10:00～22:00(日曜日のみ～21:00)
休業日	月曜日
座席案内	テーブル20席
禁煙席	全席禁煙
所在地	相模原市中央区淵野辺1-13-12
電話	050-5307-3132
交通	JR横浜線淵野辺駅より徒歩5分
駐車場	なし(周辺にコインパーキングあり)

淵野辺駅

焼き菓子屋　Sucreco

やきがしや　しゅくれこ

店内はお菓子だけでなく様々なディスプレイがかわいらしくお店を演出

焼き立て、作りたての焼き菓子

「フランスの駄菓子屋さん」をコンセプトに、小学生からおじいさんおばあさんまで老若男女誰もが気軽に買いに来ることができる親しみやすさが自慢の焼き菓子店。シンプルな味と、体に優しいお菓子が人気の秘密。

北海道小麦をはじめ、国産のバターや地元の有精卵など材料にこだわった焼き菓子を個装せず、常に焼き立て・作りたてで店頭に並べています。季節の果物を使った、期間限定のお菓子も見逃せません！一つ一つがリーズナブルなのも魅力です。

ショーケースにはできたてホヤホヤのお菓子がキレイに並びます。

おすすめメニュー

おすすめメニュー

季節のタルト　432円～
週末限定　リッチシュークリーム
270円
マドレーヌ　170円

モンブランタルト

486円(税込)
フランス産高級マロンペーストを口どけ滑らかに仕上げ、アクセントにカシスを忍ばせた秋冬限定のタルト

タルト各種

432円(税込)～

生地を薄めに敷いて焼いたサクサク食感のタルトが常時3～5種類並びます。季節限定のものもあるので要チェック！

カヌレ

203円(税込)
外はカリッと中はモチッと。マダガスカル産バニラとラムの香りがほのかに漂うフランス菓子の定番

WELCOME MESSAGE

店長の佐藤五月さん

シュクレコのお菓子はシンプルで美味しく、体にも優しいお菓子。日持ちがしないのは美味しい証拠。ひとくち食べたら「焼き菓子の本当のおいしさ」がわかるはず。おやつにプレゼントに、ぜひご利用ください♪

Information

営業時間	10:00～18:00
休業日	月曜日/日曜日(不定休)
所在地	相模原市中央区淵野辺4-28-14淵野辺第9ビル1F
電話	042-707-4773
交通	JR横浜線淵野辺駅より徒歩10分
駐車場	なし

淵野辺駅

Oranti BAKERY

おらんちべーかりー

木を基調としたアンティークチックの店内

バラエティ豊富なパンがたくさん並ぶ、町のパン屋さん

かわいらしい赤い扉が目印のパン屋さん。パンの陳列台はカウンタータイプ。店員さんとちょっとした会話を弾ませながら楽しくパンを選べます。

自家製酵母を使用したしっとりもちもち食感のパンが自慢！ハード系パンを中心に、約80種類のパンを毎日焼いており、子どもからお年寄りまで、老若男女問わず愛されているお店です。イートインスペースもあるので、買ったその場で焼き立てのパンを食べることもできます。

カウンターにはぎっしりとパンが陳列されています。

おすすめメニュー

食パン　270円
フルーツデニッシュ　259円
クロワッサン　162円

フロマージュノア

248円
香ばしいくるみを練りこんだ生地とレモン風味のクリームチーズがくせになる味！

フランボワーズショコラ

232円
中にビターチョコを忍ばせたクロワッサン
甘酸っぱいフランボワーズジャムがポイント

オランチバゲット

205円
低温長時間発酵で作った、外はカリッと中はもちもちの全粒粉バゲット。

WELCOME MESSAGE

お店より

2016年3月にオープンした小さなパン屋です。お陰様で地元や遠方からのお客様にもご来店頂いております。季節の果物を使ったデニッシュ、菓子パン、惣菜パン、ハード系約80種類のパンが皆様のお越しをお待ちしております。

Information

営業時間	9:30～18:00
休業日	火曜日・毎月一回程度不定休あり
所在地	相模原市中央区淵野辺3-12-5メイクファイブ102
電話	042-814-8300
交通	JR淵野辺駅より徒歩6分
駐車場	なし

古淵駅

Mooring Deck Deli&Café

もーりんでっき でりあんどかふぇ

あたたかみのあるおもてなしが魅力のカフェ。お友だちの家を訪ねるようなくつろぎ空間で、
楽しくおしゃべりしながら体にやさしいメニューをどうぞ。

安心安全にこだわった料理と自然がカラダを癒す

ヴィーガンのオーガニックカフェ。コンセプトは「からだと心に優しいお料理」で、食材は基本的に無農薬・有機栽培の野菜と無添加の調味料。小さな子でも安心していただけます。

閑静な住宅街の中にあり、店内は木のぬくもりあふれる居心地のよい空間。緑に囲まれたテラス席では、気候のよい時期は自然を感じながら、おいしい食事やスイーツでゆったりとしたひとときが過ごせます。子どもたちが過ごしやすい空間になっているので、ママ友グループでの利用にもおすすめです。

テラスにも10席。
ガーデンパーティー風に楽しむのもGOOD。

おすすめメニュー

有機栽培コーヒー　450円
有機栽培紅茶　450円
ハーブティー　500円
酵素ジュース　600円
ランチメニュー
グリーンカレー　1,200円
オムレツプレート1,000円
ほか

Veganマフィン

300円
ドライフルーツとナッツがたっぷり。外はサクッ、中はふんわりホクホクのマフィン。

シフォンケーキ

400円
生クリームor豆乳クリーム・オレンジジャムが添えてあります。食後のデザートにおすすめ

玄米ごはんプレート

1,200円
すべてオーガニックのプレートです。ランチタイム（11:00～ 14:00）はドリンク付き。

WELCOME MESSAGE

オーナーの佐原貴美枝さん

自然のエネルギーがいっぱいつまった元気なお野菜と、もちもちの玄米ごはん、自家製味噌のお味噌汁、veganスイーツで体の中からきれいに元気になって下さい。ご来店、心よりお待ちしております。

Information

営業時間	11：00～20：00 (L.O.) ランチ11：00～14：00 (L.O.)
休業日	土日祝日
座席案内	テラス10席・カウンター2席 テーブル12席
禁煙席	店内は全席禁煙
所在地	相模原市中央区東淵野辺 4-31-14
電話	042-776-1050
交通	JR古淵駅より徒歩10分
駐車場	有(4台)無料

The Demode Heaven 相模原《ざ　でもでへぶん　さがみはら》

相模原駅

とっておきの味・空間を楽しむ
ボリューム満点！至極のダイナー

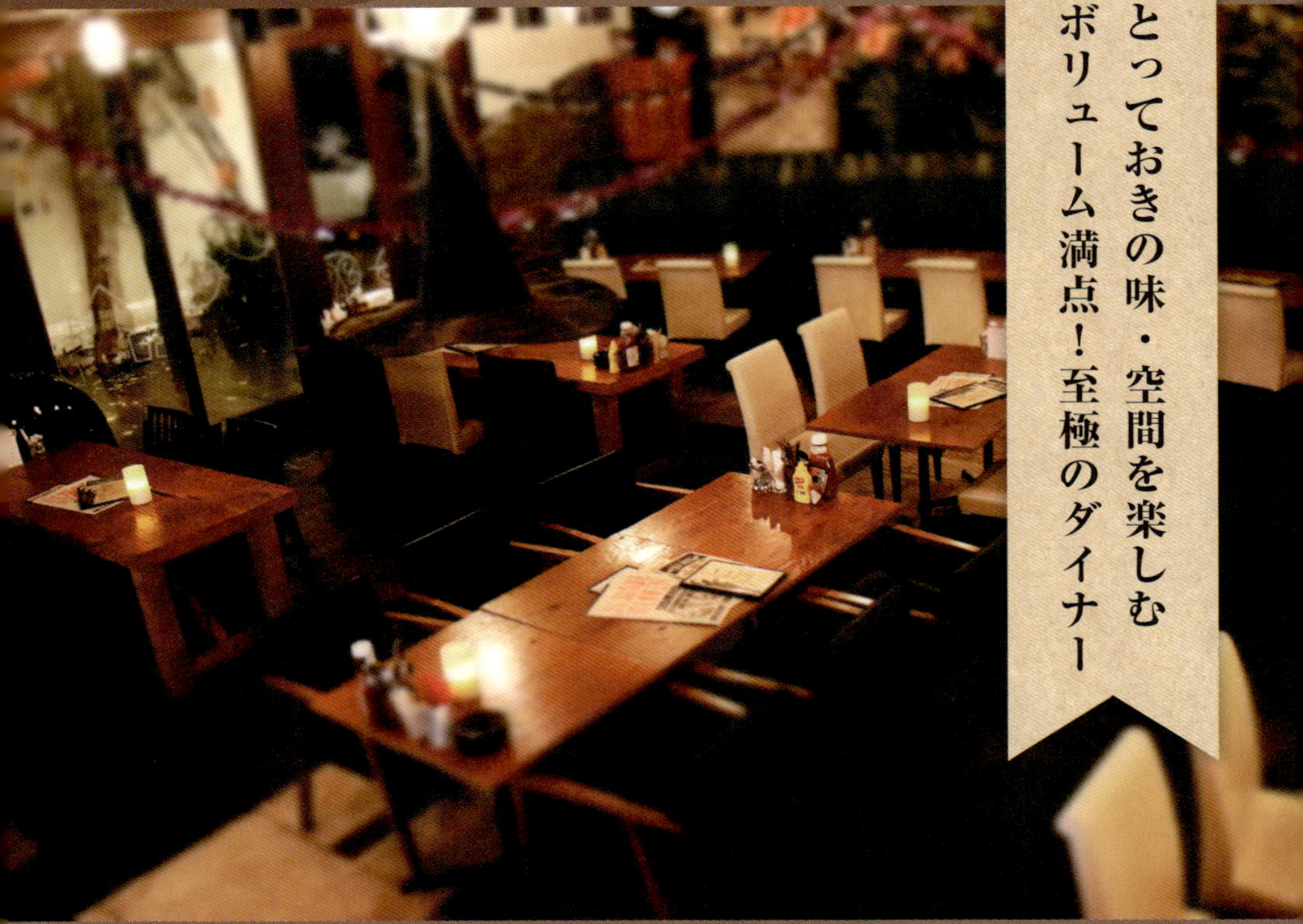

広々とした店内。テーブル同士の間隔も広く取られているので、ゆったりと過ごすことができます。

アメリカンな雰囲気 ただよう一軒家ダイナー

広々とした店内はまるで本場アメリカのような雰囲気。お店で提供しているメニューは一つ一つ手作りで、ボリューム満点！夜にはダイニングバーとしてお酒を楽しむこともできます。

テラス席、店内共にわんちゃんOKなので天候に関係なくわんちゃんと一緒に食事ができるのも嬉しい。クリスマスやハロウィンなどのイベント時には仮装や店内装飾にもこだっているので楽しめること間違い無し！

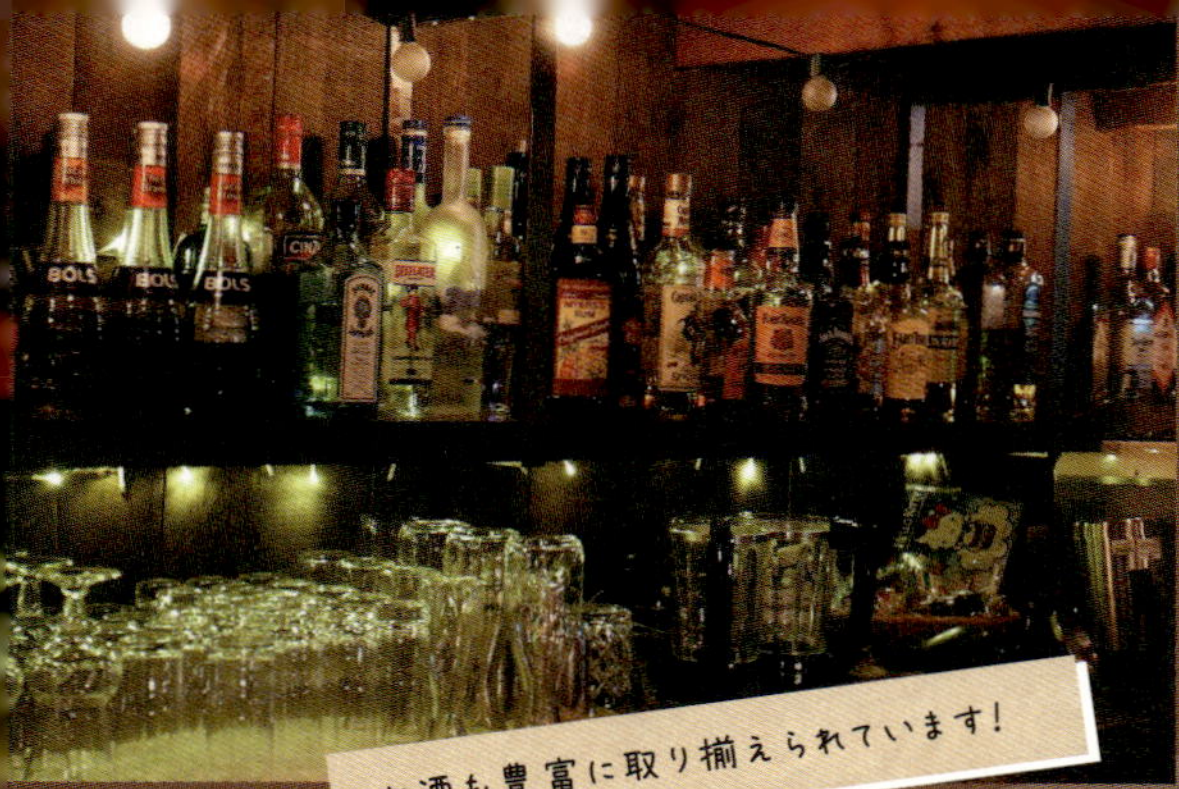

お酒も豊富に取り揃えられています!

おすすめメニュー

おすすめメニュー

10種以上のハンバーガー
ケーキ各種
(オトクなセットもあり)

ドリンク各種
(アルコールも豊富に取り揃えています)

アボガドチーズバーガー

フライドポテトセット
1,480円
平日のランチタイム(11:30～15:00)はポテトに加え、サラダとドリンクバーがセット

タワーバーガー

2,980円
パティ4枚600gの、高さ30cmのビッグサイズのハンバーガー。自信のある人は挑戦してみては！？

オレオタルト

650円
ラム酒の効いた、子どもから大人まで大人気のアメリカンケーキ。ケーキの土台からすべて手作り。

WELCOME MESSAGE

お店より

全てにおいてボリューム満点。お食事はもちろん、カクテルやお酒も豊富。一から手作りのホームメイドケーキもご用意しております。パーティーでのご利用も承っております。まずは一度ご来店ください。お待ちしております。

Information

営業時間	11:30～23:00 ランチ11:30～15:00(L.O.) ディナー15:00～22:00(L.O.)
休業日	無休
座席案内	カウンター7席 テーブル60席　テラス3席
禁煙席	禁煙席5席(11:30～15:00は全席禁煙)
所在地	相模原市中央区中央1-10-14
電話	042-758-6669
交通	JR相模原駅より徒歩15分
駐車場	あり(10台)

SUNNY

さにー

成瀬駅

ボリューム満点ダイナー

店内のアメリカンな雰囲気は、料理のおいしさを一層引き立てる。

地元を愛する店主が営むアットホーム空間

成瀬駅からすぐ、成瀬生まれ・成瀬育ちのマスターが夫婦で営むお店。地元でお店を開きたい、という思いで開店し、今では地元の人々に愛されるお店に。メニューはハンバーガーを始めとしたボリューミーなものばかり。

カウンター席もあり、お一人様でも入りやすいお店となっています。アルコールメニューが豊富で、少しずつつまめるものが多く、その日の気分に合わせた夜を過ごすことができます。

一人でも、数人とでも様々なシーンで利用できる

おすすめメニュー

スタンダードハンバーガー　800円
(ドリンクセット1,100円)

ホットドッグ　650円
(ドリンクセット950円)

チキンオムライス　800円

スタンダードバーガーと自家製ジンジャエール

単品 800円
ドリンクセット 1,100円
お店自慢のボリューム満点ハンバーガー。トッピングも豊富！その日の気分に合わせてお好みで。

グルテンフリー バナナマフィン

450円
小麦粉を使わない、ヘルシースイーツ。付け合せのアイスクリームとの相性バッチリ。優しい味わいです。

サニーサラダ

850円
たっぷりの野菜にとろふわたまごが乗ったオリジナルサラダ。
ヘルシーなのに大満足なメニューです。

WELCOME MESSAGE

スタッフの林さん

成瀬生まれ、成瀬育ちの店主が営んでいます。居心地のいい空間で、ゆっくり食事やお酒を楽しんでいただけるよう努めていますので、ご来店お待ちしております。

Information

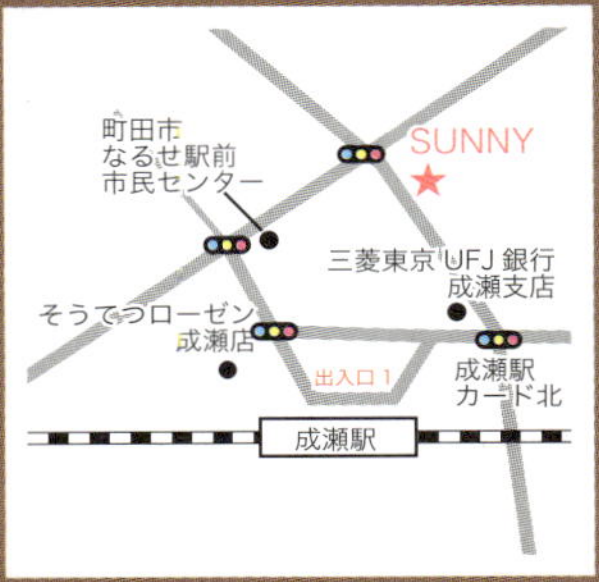

営業時間	平日17:30～23:30(L.O.22:30)／土日祝 ランチ11:30～14:30(L.O.14:00)・ディナー17:30～23:30(L.O.22:30)
休業日	水曜日(その他不定休あり)
座席案内	カウンター3席・テーブル20席
禁煙席	なし
所在地	町田市南成瀬5-1-20
電話	042-732-3923
交通	JR成瀬駅より徒歩3分
駐車場	なし(周辺にコインパーキングあり)

JAMI JAMI BURGER

じゃみじゃみばーがー

町田駅

ボリューム満点ダイナー

ウッディなカウンター席のみの店内。
アットホームな雰囲気の中、店長とのおしゃべりを楽しんでみては？

気さくな店長と本格ハンバーガー！

町田仲見世商店街の中にある、手作りハンバーガーのお店さん。肉汁たっぷりの100％ビーフを使用したパテと自社製バンズとの相性はバッチリ。中の具もバラエティー豊か。お好みの具材が入ったものを選ぼう。

アルコールメニューも豊富で、夜はバーとして営業しています。小さいけれど居心地の良い店内で、ついついゆっくりしてしまいそう。アットホームな雰囲気が流れており、気さくなマスターとの会話も弾んでしまいます。作りたてハンバーガーはお持ち帰りもできます。

店内にはところどころ遊び心が垣間見えます

おすすめメニュー

ハンバーガー　580円
絶品チーズバーガー　780円
ジャミジャミバーガー　880円

焦がしチーズバーガー

780円
(プラス300円でドリンクセット)
カリッカリに焼いたチーズがアクセントの絶品バーガー

アボカドバーガー

680円
(プラス300円でドリンクセット)
アボカドたっぷりの女性に人気のバーガー

オニポテ

380円
揚げたてさくさくのオニオンリングとポテトのコンビ。ハンバーガーの付け合せやおつまみにどうぞ。

Information

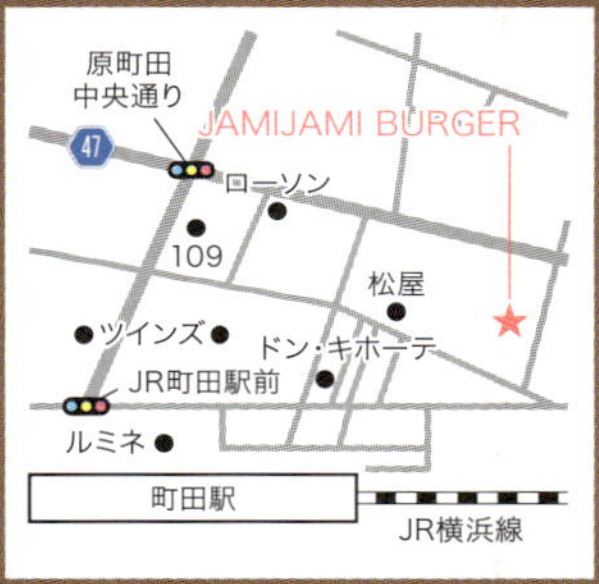

営業時間	ランチ12:00～15:00 (L.O.14:45) ディナー17:00～24:00 (L.O.23:00) 日曜のみ12:00～24:00 (L.O.23:00)
休業日	なし
座席案内	カウンター9席
禁煙席	なし
所在地	町田市原町田4-5-18　仲見世商店街内
電話	042-722-0526
交通	JR横浜線町田駅より徒歩1分
駐車場	なし(周辺にコインパーキングあり)

WELCOME MESSAGE

店長のユウさんとスタッフのシオリさん

町田の仲見世通りでひっそりと営んでいます。小さいお店ですがアットホームな雰囲気が自慢！是非いらしてください。

INDEX

あ

か

さ

Staff

取材・編集・撮影 ● ジェイアクト
奈良萌 宍戸美友
デザイン・DTP ● はやしたすく
MAP ● 蛭牟田展衣

町田・相模原　カフェ日和　すてきなお店案内

2017年12月25日　第1版・第1刷発行

著　者　ジェイアクト
発行者　メイツ出版株式会社

代表者　三渡　治
〒102-0093 東京都千代田区平河町一丁目 1-8
TEL：03-5276-3050（編集・営業）
03-5276-3052（注文専用）
FAX：03-5276-3105

印　刷　三松堂株式会社

ご意見・ご感想はホームページから承っております。

メイツ出版ホームページアドレス　http://www.mates-publishing.co.jp/

編集長：折居かおる　企画担当：堀明研斗／千代　寧

※本書は2015年発行の『町田・相模原・厚木　すてきなカフェさんぽ』を元に加筆・修正を行っています。